Über dieses Buch

Märchen sind ein seltenes Geschenk geworden in einer Welt, die des Zaubers beraubt zu sein scheint. Und so bedurfte es des Dichters, die ewigen Themen aller Märchen für unsere Zeit neu zu erschaffen. Der Leser wird von Hermann Hesses Märchen genauso wie dazumal von denen seiner Kindheit verzaubert werden. Dabei sind diese Märchen in Sprache und Klang durchaus modern. Ja, die untergründige, nur angedeutete Mahnung in diesen zu Beginn des Jahrhunderts entstandenen Dichtungen ist ohne die Problematik unserer scheinbar so selbstbewußten und doch so gefährdeten Gesellschaft gar nicht denkbar. Wie weit der Bogen dieser Märchen sich auch spannt — jedes bezeugt wie jene ›Nachricht von einem andern Stern‹, »daß die Welt ein Ganzes ist, davon unsere Torheit und unser Zorn und unsere Wildheit uns doch nicht abtrennen kann.«

HERMANN HESSE

MÄRCHEN

FISCHER TASCHENBUCH VERLAG

Inhalt der Erstausgabe 1919, ergänzt um ›Flötentraum‹ und ›Piktors Verwandlungen‹. ›Flötentraum‹ erschien unter dem Titel ›Märchen‹ erstmalig 1946 in der Schweizer Ausgabe. Eine Faksimile-Ausgabe von ›Piktors Verwandlungen‹ nach der Handschrift und den Handzeichnungen des Dichters erschien 1954.

Erstmalig im
Fischer Taschenbuch Verlag
1.– 30. Tausend September 1964
31.– 42. Tausend Juni 1966
43.– 50. Tausend März 1968
51.– 57. Tausend Juli 1969
58.– 65. Tausend August 1970
66.– 75. Tausend Juni 1971
76.– 87. Tausend Februar 1972
88.– 97. Tausend Juli 1972
98.–117. Tausend Januar 1973
118.–137. Tausend Mai 1973
138.–167. Tausend Dezember 1973
168.–187. Tausend: Dezember 1974
Ungekürzte Ausgabe

Umschlagentwurf: Jan Buchholz/Reni Hinsch
Fischer Taschenbuch Verlag GmbH, Frankfurt am Main
Lizenzausgabe mit freundlicher Genehmigung des Suhrkamp Verlages, Frankfurt am Main

Gesamtherstellung: Hanseatische Druckanstalt GmbH, Hamburg
Printed in Germany
ISBN 3 436 00606 8

INHALT

Peter Suhrkamp gewidmet

AUGUSTUS

In der Mostackerstraße wohnte eine junge Frau, die hatte durch ein Unglück bald nach der Hochzeit ihren Mann verloren, und jetzt saß sie arm und verlassen in ihrer kleinen Stube und wartete auf ihr Kind, das keinen Vater haben sollte. Und weil sie so ganz allein war, so verweilten immer alle ihre Gedanken bei dem erwarteten Kinde, und es gab nichts Schönes und Herrliches und Beneidenswertes, das sie nicht für dieses Kind ausgedacht und gewünscht und geträumt hätte. Ein steinernes Haus mit Spiegelscheiben und einem Springbrunnen im Garten schien ihr für den Kleinen gerade gut genug, und was seine Zukunft anging, so mußte er mindestens ein Professor oder König werden.

Neben der armen Frau Elisabeth wohnte ein alter Mann, den man nur selten ausgehen sah, und dann war er ein kleines, graues Kerlchen mit einer Troddelmütze und einem grünen Regenschirm, dessen Stangen noch aus Fischbein gemacht waren wie in der alten Zeit. Die Kinder hatten Angst vor ihm, und die Großen meinten, er werde schon Gründe haben, sich so sehr zurückzuziehen. Oft wurde er lange Zeit von niemand gesehen, aber am Abend hörte man zuweilen aus seinem kleinen, baufälligen Hause eine feine Musik wie von sehr vielen kleinen, zarten Instrumenten erklingen. Dann fragten Kinder, wenn sie dort vorübergingen, ihre Mütter, ob da drinnen die Engel oder vielleicht die Nixen sängen, aber die Mütter wußten nichts davon und sagten: »Nein, nein, das muß eine Spieldose sein.«

Dieser kleine Mann, welcher von den Nachbarn als Herr Binßwanger angeredet wurde, hatte mit der Frau Elisabeth eine sonderbare Art von Freundschaft. Sie sprachen nämlich nie miteinander, aber der kleine, alte Herr Binßwanger grüßte jedesmal auf das freundlichste, wenn er am Fenster seiner Nachbarin vorüberkam, und sie nickte ihm wieder dankbar zu und hatte ihn gern, und beide dachten: Wenn es mir einmal ganz elend gehen sollte, dann will ich gewiß im Nachbarhaus um Rat vorsprechen. Und wenn es dunkel zu werden anfing und die Frau Elisabeth allein an ihrem Fenster saß und um ihren toten Liebsten trauerte oder an ihr kleines Kindlein dachte und ins Träumen geriet, dann machte der Herr Binßwanger leise einen Fensterflügel auf, und aus seiner dunkeln Stube kam leis und silbern eine tröstliche Musik geflossen wie Mondlicht aus einem Wolkenspalt. Hinwieder hatte der Nachbar an seinem hintern Fenster einige alte Geranienstöcke stehen, die er immer zu gießen vergaß und welche doch immer grün und voll Blumen waren und nie ein welkes Blatt zeigten, weil sie jeden Tag in aller Frühe von Frau Elisabeth begossen und gepflegt wurden.

Als es nun gegen den Herbst ging und einmal ein rauher, windiger Regenabend und kein Mensch in der Mostackerstraße zu sehen war, da merkte die arme Frau, daß ihre Stunde gekommen sei, und es wurde ihr angst, weil sie ganz allein war. Beim Einbruch der Nacht aber kam eine alte Frau mit einer Handlaterne gegangen, trat in das Haus und kochte Wasser und legte Leinwand zurecht und tat alles, was getan werden muß, wenn ein Kind zur Welt kommen soll. Frau Elisabeth ließ alles still geschehen, und erst als das Kindlein da war und in neuen feinen Windeln seinen ersten Erdenschlaf zu schlummern begann, fragte sie die alte Frau, woher sie denn käme.

»Der Herr Binßwanger hat mich geschickt«, sagte die Alte, und darüber schlief die müde Frau ein, und als sie am Morgen wieder erwachte, da war Milch für sie gekocht und stand bereit, und alles in der Stube war sauber aufgeräumt, und neben ihr lag der kleine Sohn und schrie, weil er Hunger hatte; aber die alte Frau war fort. Die Mutter nahm ihren Kleinen an die Brust und freute sich, daß er so hübsch und kräftig war. Sie dachte an seinen toten Vater, der ihn nicht mehr hatte sehen können, und bekam Tränen in die Augen, und sie herzte das kleine Waisenkind und mußte wieder lächeln, und darüber schlief sie samt dem Büblein wieder ein, und als sie aufwachte, war wieder Milch und eine Suppe gekocht und das Kind in neue Windeln gebunden.

Bald aber war die Mutter wieder gesund und stark und konnte für sich und den kleinen Augustus selber sorgen, und da kam ihr der Gedanke, daß nun der Sohn getauft werden müsse und daß sie keinen Paten für ihn habe. Da ging sie gegen Abend, als es dämmerte und aus dem Nachbarhäuschen wieder die süße Musik klang, zu dem Herrn Binßwanger hinüber. Sie klopfte schüchtern an dei dunkle Türe, da rief er freundlich »Herein!« und kam ihr entgegen, die Musik aber war plötzlich zu Ende, und im Zimmer stand eine kleine alte Tischlampe vor einem Buch, und alles war wie bei andern Leuten.

»Ich bin zu Euch gekommen«, sagte Frau Elisabeth, »um Euch zu danken, weil Ihr mir die gute Frau geschickt habet. Ich will sie auch gerne bezahlen, wenn ich nur erst wieder arbeiten und etwas verdienen kann. Aber jetzt habe ich eine andere Sorge. Der Bub muß getauft werden und soll Augustus heißen, wie sein Vater geheißen hat; aber ich kenne niemand und weiß keinen Paten für ihn.«

»Ja, das habe ich auch gedacht«, sagte der Nachbar und strich an seinem grauen Bart herum. »Es wäre schon gut, wenn er einen guten und reichen Paten bekäme, der für ihn sorgen kann, wenn es Euch einmal schlecht gehen sollte. Aber ich bin auch nur ein alter, einsamer Mann und habe wenig Freunde, darum kann ich Euch niemand raten, wenn Ihr nicht etwa mich selber zum Paten nehmen wollet.«

Darüber war die arme Mutter froh und dankte dem kleinen Mann und nahm ihn zum Paten. Am nächsten Sonntag trugen sie den Kleinen in die Kirche und ließen ihn taufen, und dabei erschien auch die alte Frau wieder und schenkte ihm einen Taler, und als die Mutter das nicht annehmen wollte, da sagte die alte Frau: »Nehmet nur, ich bin alt und habe, was ich brauche. Vielleicht bringt ihm der Taler Glück. Dem Herrn Binßwanger habe ich gern einmal einen Gefallen getan, wir sind alte Freunde.«

Da gingen sie miteinander heim, und Frau Elisabeth kochte für ihre Gäste Kaffee, und der Nachbar hatte einen Kuchen mitgebracht, daß es ein richtiger Taufschmaus wurde. Als sie aber getrunken und gegessen hatten und das Kindlein längst eingeschlafen war, da sagte Herr Binßwanger bescheiden: »Jetzt bin ich also der Pate des kleinen Augustus und möchte ihm gern ein Königsschloß und einen Sack voll Goldstücke schenken, aber das habe ich nicht, ich kann ihm nur einen Taler neben den der Frau Gevatterin legen. Indessen, was ich für ihn tun kann, das soll geschehen. Frau Elisabeth, Ihr habt Eurem Buben gewiß schon viel Schönes und Gutes gewünscht. Besinnt Euch jetzt, was Euch das Beste für ihn zu sein scheint, so will ich dafür sorgen, daß es wahr werde. Ihr habet einen Wunsch für Euren Jungen frei, welchen Ihr wollet, aber nur einen, überlegt Euch den wohl, und wenn Ihr heut abend meine kleine Spieldose spielen höret, dann müßt Ihr den Wunsch Eurem Kleinen ins linke Ohr sagen, so wird er in Erfüllung gehen.«

Damit nahm er schnell Abschied, und die Gevatterin ging mit ihm weg, und Frau Elisabeth blieb allein und ganz verwundert zurück, und wenn die beiden Taler nicht in der Wiege gelegen und der Kuchen auf dem Tisch gestanden wäre, so hätte sie alles für einen Traum gehalten. Da setzte sie sich neben die Wiege und wiegte ihr Kind und sann und dachte sich schöne Wünsche aus. Zuerst wollte sie ihn reich werden lassen, oder schön, oder gewaltig stark, oder gescheit und klug, aber überall war ein Bedenken dabei, und schließlich dachte sie: Ach, es ist ja doch nur ein Scherz von dem alten Männlein gewesen.

Es war schon dunkel geworden und sie wäre beinahe sitzend bei der Wiege eingeschlafen, müde von der Bewirtung und von den Sorgen und den vielen Wünschen, da klang vom Nachbarhause herüber eine feine, sanfte Musik, so zart und köstlich, wie sie noch von keiner Spieldose gehört worden ist. Bei diesem Klang besann sich Frau Elisabeth und kam zu sich, und jetzt glaubte sie wieder an den Nachbar Binßwanger und sein Patengeschenk, und je mehr sie sich besann und je mehr sie wünschen wollte, desto mehr geriet ihr alles in den Gedanken durcheinander, daß sie sich für nichts entscheiden konnte. Sie wurde ganz bekümmert und hatte Tränen in den Augen, da klang die Musik leiser und schwächer, und sie dachte, wenn sie jetzt im Augenblick ihren Wunsch nicht täte, so wäre es zu spät und alles verloren.

Da seufzte sie auf und bog sich zu ihrem Knaben hinunter und flüsterte ihm ins linke Ohr: »Mein Söhnlein, ich wünsche dir — ich wünsche dir —«, und als die schöne Musik schon ganz am Verklingen war, erschrak sie und sagte schnell: »Ich wünsche dir, daß alle Menschen dich liebhaben müssen.«

Die Töne waren jetzt verklungen, und es war totenstill in dem dunklen Zimmer. Sie aber warf sich über die Wiege und weinte und war voll Angst und Bangigkeit und rief: »Ach, nun habe ich dir das Beste gewünscht, was ich weiß, und doch ist es vielleicht nicht das Richtige gewesen. Und wenn auch alle, alle Menschen dich liebhaben werden, so kann doch niemand mehr dich so liebhaben wie deine Mutter.«

Augustus wuchs nun heran wie andre Kinder, er war ein hübscher, blonder Knabe mit hellen, mutigen Augen, den die Mutter verwöhnte und der überall wohlgelitten war. Frau Elisabeth merkte schon bald, daß ihr Tauftagswunsch sich an dem Kind erfülle, denn kaum war der Kleine so alt, daß er gehen konnte und auf die Gasse und zu andern Leuten kam, so fand ihn jedermann so hübsch und keck und klug wie selten ein Kind, und jedermann gab ihm die Hand, sah ihm in die Augen und zeigte ihm seine Gunst. Junge Mütter lächelten ihm zu, und alte Weiblein schenkten ihm Äpfel, und wenn er irgendwo eine Unart verübte, glaubte niemand, daß er es gewesen sei, oder wenn es nicht zu leugnen war, zuckte man die Achseln und sagte: »Man kann dem netten Kerlchen wahrhaftig nichts übelnehmen.«

Es kamen Leute, die auf den schönen Knaben aufmerksam geworden waren, zu seiner Mutter, und sie, die niemand gekannt und früher nur wenig Näharbeit ins Haus bekommen hatte, wurde jetzt als die Mutter des Augustus wohlbekannt und hatte mehr Gönner, als sie sich je gewünscht hätte. Es ging ihr gut und dem Jungen auch, und wohin sie miteinander kamen, da freute sich die Nachbarschaft, grüßte und sah den Glücklichen nach.

Das Schönste hatte Augustus nebenan bei seinem Paten; der rief ihn zuweilen am Abend in sein Häuschen, da war es dunkel, und nur im schwarzen Kaminloch brannte eine kleine, rote Flamme, und der kleine, alte Mann zog das Kind zu sich auf ein Fell am Boden und sah mit ihm in die stille Flamme und erzählte ihm lange Geschichten. Aber manchmal, wenn so eine lange Geschichte zu Ende und der Kleine ganz schläfrig geworden war und in der dunklen Stille mit halboffenen Augen nach dem Feuer schaute, dann kam aus der Dunkelheit eine süße, vielstimmige Musik hervorgeklungen, und wenn die beiden ihr lange und verschwiegen zugehört hatten, dann geschah es oft, daß unversehens die ganze Stube voll kleiner glänzender Kinder war, die flogen mit hellen, goldenen Flügeln in Kreisen hin und wieder und wie in schönen Tänzen kunstvoll umeinander und in Paaren, und dazu sangen sie, und es klang hundertfach voll Freude und heiterer Schönheit zusammen. Das war das Schönste, was Augustus je gehört und gesehen hatte, und wenn er später an seine Kindheit dachte, so war es die stille, finstere Stube des alten Paten und die rote Flamme im Kamin mit der Musik und mit dem festlichen, goldenen Zauberflug der Engelwesen, die ihm in der Erinnerung wieder emporstieg und Heimweh machte.

Indessen wurde der Knabe größer, und jetzt gab es für seine Mutter zuweilen Stunden, wo sie traurig war und an jene Taufnacht zurückdenken mußte. Augustus lief fröhlich in den Nachbargassen umher und war überall willkommen, er bekam Nüsse und Birnen, Kuchen und Spielsachen geschenkt, man gab ihm zu essen und zu trinken, ließ ihn auf dem Knie reiten und in den Gärten Blumen pflücken, und oft kam er erst spät am Abend wieder heim und schob die Suppe der Mutter widerwillig beiseite. Wenn sie dann betrübt war und weinte, fand er es langweilig und ging mürrisch in sein Bettlein; und wenn sie ihn einmal schalt und strafte, schrie er heftig und beklagte sich, daß alle Leute lieb und nett mit ihm seien, bloß seine Mutter nicht. Da hatte sie oft betrübte Stunden, und manchmal erzürnte sie sich ernstlich über ihren Jungen, aber wenn er nachher schlafend in seinen Kissen lag und auf dem unschuldigen Kindergesicht ihr Kerzenlicht schimmerte, dann verging alle Härte in ihrem Herzen und sie küßte ihn vorsichtig, daß er nicht erwache. Es war ihre eigene Schuld, daß alle Leute den Augustus gern hatten, und sie dachte manchmal mit Trauer und beinahe mit einem Schrecken, daß es vielleicht besser gewesen wäre, sie hätte jenen Wunsch niemals getan.

Einmal stand sie gerade beim Geranienfenster des Herrn Binßwanger und schnitt mit einer kleinen Schere die verwelkten Blumen aus den Stöcken, da hörte sie in dem Hof, der hinter den beiden Häusern war, die Stimme ihres Jungen, und sie bog sich vor, um hinüberzusehen. Sie sah ihn an der Mauer lehnen, mit seinem hübschen und ein wenig stolzen Gesicht, und vor ihm stand ein Mädchen, größer als er, das sah ihn bittend an und sagte: »Gelt, du bist lieb und gibst mir einen Kuß?«

»Ich mag nicht«, sagte Augustus und steckte die Hände in die Taschen.

»O doch, bitte«, sagte sie wieder. »Ich will dir ja auch etwas Schönes schenken.«

»Was denn?« fragte der Junge.

»Ich habe zwei Äpfel«, sagte sie schüchtern.

Aber er drehte sich um und schnitt eine Grimasse.

»Äpfel mag ich keine«, sagte er verächtlich und wollte weglaufen.

Das Mädchen hielt ihn aber fest und sagte schmeichelnd: »Du, ich habe auch einen schönen Fingerring.«

»Zeig ihn her!« sagte Augustus.

Sie zeigte ihm ihren Fingerring her, und er sah ihn genau an, dann zog er ihn von ihrem Finger und tat ihn auf seinen eigenen, hielt ihn ans Licht und fand Gefallen daran.

»Also, dann kannst du ja einen Kuß haben«, sagte er obenhin und gab dem Mädchen einen flüchtigen Kuß auf den Mund.

»Willst du jetzt mit mir spielen kommen?« fragte sie zutraulich und hing sich an seinen Arm.

Aber er stieß sie weg und rief heftig: »Laß mich jetzt doch endlich in Ruhe! Ich habe andre Kinder, mit denen ich spielen kann.«

Während das Mädchen zu weinen begann und vom Hofe schlich, schnitt er ein gelangweiltes und ärgerliches Gesicht; dann drehte er seinen Ring um den Finger und beschaute ihn, und dann fing er an zu pfeifen und ging langsam davon.

Seine Mutter aber stand mit der Blumenschere in der Hand und war erschrocken über die Härte und Verächtlichkeit, mit welcher ihr Kind die Liebe der andern hinnahm. Sie ließ die Blumen stehen und stand kopfschüttelnd und sagte immer wieder vor sich hin: »Er ist ja böse, er hat ja gar kein Herz.«

Aber bald darauf, als Augustus heimkam und sie ihn zur Rede stellte, da schaute er sie lachend aus blauen Augen an und hatte kein Gefühl einer Schuld, und dann fing er an zu singen und ihr zu schmeicheln und war so drollig und nett und zärtlich mit ihr, daß sie lachen mußte und wohl sah, man dürfe bei Kindern nicht alles gleich so ernst nehmen.

Indessen gingen dem Jungen seine Übeltaten nicht ohne alle Strafe hin. Der Pate Binßwanger war der einzige, vor dem er Ehrfurcht hatte, und wenn er am Abend zu ihm in die Stube kam und der Pate sagte: »Heute brennt kein Feuer im Kamin, und es gibt keine Musik, die kleinen Engelkinder sind traurig, weil du so böse warst«, dann ging er schweigend hinaus und heim und warf sich auf sein Bett und weinte, und nachher gab er sich manchen Tag lang alle Mühe, gut und lieb zu sein.

Jedoch das Feuer im Kamin brannte seltener und seltener, und der Pate war nicht mit Tränen und nicht mit Liebkosungen zu bestechen. Als Augustus zwölf Jahre alt war, da war ihm der zauberische Engelflug in der Patenstube schon ein ferner Traum geworden, und wenn er ihn einmal in der Nacht geträumt hatte, dann war er am nächsten Tag doppelt wild und laut und kommandierte seine vielen Kameraden als Feldherr über alle Hecken weg.

Seine Mutter war es längst müde, von allen Leuten das Lob ihres Knaben zu hören, und wie fein und herzig er sei, sie hatte nur noch Sorgen um ihn. Und als eines Tages sein Lehrer zu ihr kam und ihr erzählte, er wisse jemand, der erbötig sei, den Knaben in fremde Schulen zu schicken und studieren zu lassen, da hatte sie eine Besprechung mit dem Nachbar, und bald darauf, an einem Frühlingsmorgen, kam ein Wagen gefahren, und Augustus in einem neuen, schönen Kleide stieg hinein und sagte seiner Mutter und dem Paten und den Nachbarsleuten Lebewohl, weil er in die Hauptstadt reisen und studieren durfte. Seine Mutter hatte ihm zum letzten Male die blonden Haare schön gescheitelt und den Segen über ihn gesprochen, und nun zogen die Pferde an, und Augustus reiste in die fremde Welt.

Nach manchen Jahren, als der junge Augustus ein Student geworden war und rote Mützen und einen Schnurrbart trug, da kam er einmal wieder in seine Heimat gefahren, weil der Pate ihm geschrieben hatte, seine Mutter sei so krank, daß sie nicht mehr lange leben könne. Der Jüngling kam am Abend an, und die Leute sahen mit Bewunderung zu, wie er aus dem Wagen stieg und wie der Kutscher ihm einen großen ledernen Koffer in das Häuschen nachtrug. Die Mutter aber lag sterbend in dem alten, niederen Zimmer, und als der schöne Student in weißen Kissen ein weißes, welkes Gesicht liegen sah, das ihn nur noch mit stillen Augen begrüßen konnte, da sank er weinend an der Bettstatt nieder und küßte seiner Mutter kühle Hände und kniete bei ihr die ganze Nacht, bis die Hände kalt und die Augen erloschen waren.

Und als sie die Mutter begraben hatten, da nahm ihn der Pate Binßwanger am Arm und ging mit ihm in sein Häuschen, das schien dem jungen Menschen noch niedriger und dunkler geworden, und als sie lange beisammen gesessen waren und nur die kleinen Fenster noch schwach in der Dunkelheit schimmerten, da strich der kleine alte Mann mit hageren Fingern über seinen grauen Bart und sagte zu Augustus: »Ich will ein Feuer im Kamin anmachen, dann brauchen wir die Lampe nicht. Ich weiß, du mußt morgen wieder davonreisen, und jetzt, wo deine Mutter tot ist, wird man dich ja so bald nicht wiedersehen.«

Indem er das sagte, zündete er ein kleines Feuer im Kamin an und rückte seinen Sessel näher hinzu, und der Student den seinen, und dann saßen sie wieder eine lange Weile und blickten auf die verglühenden Scheiter, bis die Funken spärlicher flogen, und da sagte der Alte sanft: »Lebe wohl, Augustus, ich wünsche dir Gutes. Du hast eine brave Mutter gehabt, und sie hat mehr an dir getan, als du weißt. Gern hätte ich dir noch einmal Musik gemacht und die kleinen Seligen gezeigt, aber du weißt, das geht nicht mehr. Indessen sollst du sie nicht vergessen und sollst wissen, daß sie noch immer singen und daß auch du sie vielleicht einmal wieder hören kannst, wenn du einst mit einem einsamen und sehnsüchtigen Herzen nach ihnen verlangst. Gib mir jetzt die Hand, mein Junge, ich bin alt und muß schlafen gehen.«

Augustus gab ihm die Hand und konnte nichts sagen, er ging traurig in das verödete Häuschen hinüber und legte sich zum letzten Male in der alten Heimat schlafen, und ehe er einschlief, meinte er von drüben ganz fern und leise die süße Musik seiner Kindheit wieder zu hören. Am nächsten Morgen ging er davon, und man hörte lange nichts mehr von ihm.

Bald vergaß er auch den Paten Binßwanger und seine Engel. Das reiche Leben schwoll rings um ihn, und er fuhr auf seinen Wellen mit. Niemand konnte so wie er durch schallende Gassen reiten und die aufschauenden Mädchen mit spöttischen Blicken grüßen, niemand verstand so leicht und hinreißend zu tanzen, so flott und fein im Wagen zu kutschieren, so laut und prangend eine Sommernacht im Garten zu verzechen. Die reiche Witwe, deren Geliebter er war, gab ihm Geld und Kleider und Pferde und alles, was er brauchte und haben wollte, mit ihr reiste er nach Paris und nach Rom und schlief in ihrem seidenen Bett, seine Liebe aber war eine sanfte, blonde Bürgerstochter, die er nachts mit Gefahr in ihres Vaters Garten besuchte und die ihm lange, heiße Briefe schrieb, wenn er auf Reisen war.

Aber einmal kam er nicht wieder. Er hatte Freunde in Paris gefunden, und weil die reiche Geliebte ihm langweilig geworden und das Studium ihm längst verdrießlich war, blieb er im fernen Land und lebte wie die große Welt, hielt Pferde, Hunde, Weiber, verlor Geld und gewann Geld in großen Goldrollen, und überall waren Menschen, die ihm nachliefen und sich ihm zu eigen gaben und ihm dienten, und er lächelte und nahm es hin, wie er einst als Knabe den Ring des kleinen Mädchens hingenommen hatte. Der Wunschzauber lag in seinen Augen und auf seinen Lippen, Frauen umgaben ihn mit Zärtlichkeit und Freunde schwärmten für ihn, und niemand sah – er selber fühlte es kaum –, wie sein Herz leer und habgierig geworden war und seine Seele krank und leidend war. Zuweilen wurde er es müde, so von allen geliebt zu sein, und ging allein verkleidet durch fremde Städte, und überall fand er die Menschen töricht und allzu leicht zu gewinnen, und überall schien ihm die Liebe lächerlich, die ihm so eifrig nachlief und mit so wenigem zufrieden war. Frauen und Männer wurden ihm oft zum Ekel, daß sie nicht stolzer waren, und ganze Tage brachte er allein mit seinen Hunden hin oder in schönen Jagdgebieten im Gebirge, und ein Hirsch, den er beschlichen und geschossen hatte, machte ihn froher als die Werbung einer schönen und verwöhnten Frau.

Da sah er einstmals auf einer Seereise die junge Frau eines Gesandten, eine strenge, schlanke Dame aus nordländischem Adel, die stand zwischen vielen andern vornehmen Frauen und weltmännischen Menschen wundervoll abgesondert, stolz und schweigsam, als wäre niemand ihresgleichen, und als er sie sah und beobachtete und wie ihr Blick auch ihn nur flüchtig und gleichgültig zu streifen schien, war ihm so, als erfahre er jetzt zum allerersten Male, was Liebe sei, und er nahm sich vor, ihre Liebe zu gewinnen, und war von da an zu jeder Stunde des Tages in ihrer Nähe und unter ihren Augen, und weil er selbst immerzu von Frauen und Männern umgeben war, die ihn bewunderten und seinen Umgang suchten, stand er mit der schönen Strengen inmitten der Reisegesellschaft wie ein Fürst mit seiner Fürstin, und auch der Mann der Blonden zeichnete ihn aus und bemühte sich, ihm zu gefallen.

Nie war es ihm möglich, mit der Fremden allein zu sein, bis in einer Hafenstadt des Südens die ganze Reisegesellschaft vom Schiffe ging, um ein paar Stunden in der fremden Stadt umherzugehen und wieder eine Weile Erde unter den Sohlen zu fühlen. Da wich er nicht von der Geliebten, bis es ihm gelang, sie im Gewühl eines bunten Marktplatzes im Gespräch zurückzuhalten. Unendlich viele kleine, finstere Gassen mündeten auf diesen Platz, in eine solche Gasse führte er sie, die ihm vertraute, und da sie plötzlich sich mit ihm allein fühlte und scheu wurde und ihre Gesellschaft nicht mehr sah, wandte er sich ihr leuchtend zu, nahm ihre zögernde Hand in seine und bat sie flehend hier mit ihm am Lande zu bleiben und zu fliehen.

Die Fremde war bleich geworden und hielt den Blick zu Boden gewendet. »Oh, das ist nicht ritterlich«, sagte sie leise. »Lassen Sie mich vergessen, was Sie da gesagt haben!«

»Ich bin kein Ritter«, rief Augustus, »ich bin ein Liebender, und ein Liebender weiß nichts anderes als die Geliebte, und hat keinen Gedanken, als bei ihr zu sein. Ach, du Schöne, komm mit, wir werden glücklich sein.«

Sie sah ihn aus ihren hellbauen Augen ernst und strafend an: »Woher konnten Sie denn wissen«, flüsterte sie klagend, »daß ich Sie liebe? Ich kann nicht lügen: ich habe Sie lieb und habe oft gewünscht, Sie möchten mein Mann sein. Denn Sie sind der erste, den ich von Herzen geliebt habe. Ach, wie kann Liebe sich so weit verirren! Ich hätte niemals gedacht, daß es mir möglich wäre, einen Menschen zu lieben, der nicht rein und gut ist. Aber tausendmal lieber will ich bei meinem Manne bleiben, den ich wenig liebe, der aber ein Ritter und voll Ehre und Adel ist, welche Sie nicht kennen. Und nun reden Sie kein Wort mehr zu mir und bringen Sie mich an das Schiff zurück, sonst rufe ich fremde Menschen um Hilfe gegen Ihre Frechheit an.«

Und ob er bat und ob er knirschte, sie wandte sich von ihm und wäre allein gegangen, wenn er nicht schweigend sich zu ihr gesellt und sie zum Schiff begleitet hätte. Dort ließ er seine Koffer an Land bringen und nahm von niemand Abschied.

Von da an neigte sich das Glück des Vielgeliebten. Tugend und Ehrbarkeit waren ihm verhaßt geworden, er trat sie mit Füßen, und es wurde sein Vergnügen, tugendhafte Frauen mit allen Künsten seines Zaubers zu verführen und arglose Menschen, die er rasch zu Freunden gewann, auszubeuten und dann mit Hohn zu verlassen. Er machte Frauen und Mädchen arm, die er dann alsbald verleugnete, und er suchte sich Jünglinge aus edlen Häusern aus, die er verführte und verdarb. Kein Genuß, den er nicht suchte und erschöpfte; kein Laster, das er nicht lernte und wieder wegwarf. Aber es war keine Freude mehr in seinem Herzen, und von der Liebe, die ihm überall entgegenkam, klang nichts in seiner Seele wider.

In einem schönen Landhaus am Meer wohnte er finster und verdrossen und quälte die Frauen und die Freunde, die ihn dort besuchten, mit den tollsten Launen und Bosheiten. Er sehnte sich danach, die Menschen zu erniedrigen und ihnen alle Verachtung zu zeigen; er war es satt und überdrüssig, von unerbetener, unverlangter, unverdienter Liebe umgeben zu sein, er fühlte den Unwert seines vergeudeten und zerstörten Lebens, das nie gegeben und immer nur genommen hatte. Manchmal hungerte er lange Zeit, nur um doch wieder einmal ein rechtes Begehren zu fühlen und ein Verlangen stillen zu können.

Es verbreitete sich unter seinen Freunden die Nachricht, er sei krank und bedürfe der Ruhe und Einsamkeit. Es kamen Briefe, die er niemals las, und besorgte Menschen fragten bei der Dienerschaft nach seinem Befinden. Er aber saß allein und tief vergrämt im Saal über dem Meere, sein Leben lag leer und verwüstet hinter ihm, unfruchtbar und ohne Spur der Liebe wie die graue wogende Salzflut. Er sah häßlich aus, wie er da im Sessel am hohen Fenster kauerte und mit sich selber Abrechnung hielt. Die weißen Möwen trieben im Strandwinde vorüber, er folgte ihnen mit leeren Blicken, aus denen jede Freude und jede Teilnahme verschwunden war. Nur seine Lippen lächelten hart und böse, als er mit seinen Gedanken zu Ende war und dem Kammerdiener schellte. Und nun ließ er alle seine Freunde auf einen bestimmten Tag zu einem Fest einladen; seine Absicht aber war, die Ankommenden durch den Anblick eines leeren Hauses und seiner eigenen Leiche zu erschrecken und zu verhöhnen. Denn er war entschlossen, sich vorher mit Gift das Leben zu nehmen.

Am Abend nun vor dem vermeintlichen Fest sandte er seine ganze Dienerschaft aus dem Hause, daß es still in den großen Räumen wurde, und begab sich in sein Schlafzimmer, mischte ein starkes Gift in ein Glas Zyperwein und setzte es an die Lippen.

Als er eben trinken wollte, wurde an seine Türe gepocht, und da er nicht Antwort gab, ging die Tür auf, und es trat ein kleiner alter Mann herein. Der ging auf Augustus zu, nahm ihm sorglich das volle Glas aus den Händen und sagte mit einer wohlbekannten Stimme: »Guten Abend, Augustus, wie geht es dir?«

Der Überraschte, ärgerlich und auch beschämt, lächelte voll Spott und sagte: »Herr Binßwanger, leben Sie auch noch? Es ist lange her, und Sie scheinen wahrhaftig nicht älter geworden zu sein. Aber im Augenblick stören Sie hier, lieber Mann, ich bin müde und will eben einen Schlaftrunk nehmen.«

»Das sehe ich«, antwortete der Pate ruhig. »Du willst einen Schlaftrunk nehmen, und du hast recht, es ist dies der letzte Wein, der dir noch helfen kann. Zuvor aber wollen wir einen Augenblick plaudern, mein Junge, und da ich einen weiten Weg hinter mir habe, wirst du nicht böse sein, wenn ich mich mit einem kleinen Schluck erfrische.«

Damit nahm er das Glas und setzte es an den Mund, und ehe Augustus ihn zurückhalten konnte, hob er es hoch und trank es in einem raschen Zuge aus.

Augustus war todesbleich geworden. Er stürzte auf den Paten los, schüttelte ihn an den Schultern und schrie gellend: »Alter Mann, weißt du, was du da getrunken hast?«

Herr Binßwanger nickte mit dem klugen grauen Kopf und lächelte: »Es ist Zyperwein, wie ich sehe, und er ist nicht schlecht. Mangel scheinst du nicht zu leiden. Aber ich habe wenig Zeit und will dich nicht lange belästigen, wenn du mich anhören magst.«

Der verstörte Mensch sah dem Paten mit Entsetzen in die hellen Augen und erwartete von Augenblick zu Augenblick, ihn niedersinken zu sehen.

Der Pate setzte sich indessen mit Behagen auf einen Stuhl und nickte seinem jungen Freunde gütig zu.

»Hast du Sorge, der Schluck Wein könnte mir schaden? Da sei nur ruhig! Es ist freundlich von dir, daß du Sorge um mich hast, ich hätte es gar nicht vermutet. Aber jetzt laß uns einmal reden wie in der alten Zeit! Mir scheint, du hast das leichte Leben satt bekommen? Das kann ich verstehen, und wenn ich weggehe, kannst du ja dein Glas wieder vollmachen und austrinken. Aber vorher muß ich dir etwas erzählen.«

Augustus lehnte sich an die Wand und horchte auf die gute, wohlige Stimme des uralten Männleins, die ihm von Kinderzeiten her vertraut war und die Schatten der Vergangenheit in seiner Seele wachrief. Eine tiefe Scham und Trauer ergriff ihn, als sähe er seiner eigenen unschuldigen Kindheit in die Augen.

»Dein Gift habe ich ausgetrunken«, fuhr der Alte fort, »weil ich es bin, der an deinem Elend schuldig ist. Deine Mutter hat bei deiner Taufe einen Wunsch für dich getan, und ich habe ihr den Wunsch erfüllt, obwohl er töricht war. Du brauchst ihn nicht zu kennen, er ist ein Fluch geworden, wie du ja selber gespürt hast. Es tut mir leid, daß es so gegangen ist, und es möchte mich wohl freuen, wenn ich es noch erlebte, daß du einmal wieder bei mir daheim vor dem Kamin sitzest und die Englein singen hörst. Das ist nicht leicht, und im Augenblick scheint es dir vielleicht unmöglich, daß dein Herz je wieder gesund und rein und heiter werden könnte. Es ist aber möglich, und ich möchte dich bitten, es zu versuchen. Der Wunsch deiner armen Mutter ist dir schlecht bekommen, Augustus. Wie wäre es nun, wenn du mir erlaubtest, auch dir noch einen Wunsch zu erfüllen, irgendeinen? Du wirst ja wohl nicht Geld und Gut begehren, und auch nicht Macht und Frauenliebe, davon du genug gehabt hast. Besinne dich, und wenn du meinst, einen Zauber zu wissen, der dein verdorbenes Leben wieder schöner und besser und dich wieder einmal froh machen könnte, dann wünsche ihn dir!«

In tiefen Gedanken saß Augustus und schwieg, er war aber zu müde und hoffnungslos, und so sagte er nach einer Weile: »Ich danke dir, Pate Binßwanger, aber ich glaube, mein Leben läßt sich mit keinem Kamm wieder glattstreichen. Es ist besser, ich tue, was ich zu tun gedachte, als du hereinkamst. Aber ich danke dir doch, daß du gekommen bist.«

»Ja«, sagte der Alte bedächtig, »ich kann mir denken, daß es dir nicht leicht fällt. Aber vielleicht kannst du dich noch einmal besinnen, Augustus, vielleicht fällt dir das ein, was dir bis jetzt am meisten gefehlt hat, oder vielleicht kannst du dich an die früheren Zeiten erinnern, wo die Mutter noch lebte, und wo du manchmal am Abend zu mir gekommen bist. Da bist du doch zuweilen glücklich gewesen, nicht?«

»Ja, damals«, nickte Augustus, und das Bild seiner strahlenden Lebensfrühe sah ihm fern und bleich wie aus einem uralten Spiegel entgegen. »Aber das kann nicht wiederkommen. Ich kann nicht wünschen, wieder ein Kind zu sein. Ach, da finge doch alles wieder von vorne an!«

»Nein, das hätte keinen Sinn, da hast du recht. Aber denke noch einmal an die Zeit bei uns daheim und an das arme Mädchen, das du als Student bei Nacht in ihres Vaters Garten besucht hast, und denke auch an die schöne blonde Frau, mit der du einmal auf dem Meerschiff gefahren bist, und denke an alle Augenblicke, wo du einmal glücklich gewesen bist und wo das Leben dir gut und wertvoll schien. Vielleicht kannst du das erkennen, was dich damals glücklich gemacht hat, und kannst dir das wünschen. Tu es, mir zuliebe, mein Junge!«

Augustus schloß die Augen und sah auf sein Leben zurück, wie man aus einem dunklen Gange nach jenem fernen Lichtpunkt sieht, von dem man hergekommen ist, und er sah wieder, wie es einst hell und schön um ihn gewesen und dann langsam dunkler und dunkler geworden war, bis er ganz im Finstern stand und nichts ihn mehr erfreuen konnte. Und je mehr er nachdachte und sich erinnerte, desto schöner und liebenswerter und begehrenswerter blickte der ferne kleine Lichtschein herüber, und schließlich erkannte er ihn, und Tränen stürzten aus seinen Augen.

»Ich will es versuchen«, sagte er zu seinem Paten. »Nimm den alten Zauber von mir, der mir nicht geholfen hat, und gib mir dafür, daß ich die Menschen liebhaben kann!«

Weinend kniete er vor seinem alten Freunde und fühlte schon im Niedersinken, wie die Liebe zu diesem alten Manne in ihm brannte und nach vergessenen Worten und Gebärden rang. Der Pate aber nahm ihn sanft, der kleine Mann, auf seine Arme und trug ihn zum Lager, da legte er ihn nieder und strich ihm die Haare aus der heißen Stirn.

»Es ist gut«, flüsterte er ihm leise zu, »es ist gut, mein Kind, es wird alles gut werden.«

Darüber fühlte Augustus sich von einer schweren Müdigkeit überfallen, als sei er im Augenblick um viele Jahre gealtert, er fiel in einen tiefen Schlaf, und der alte Mann ging still aus dem verlassenen Hause.

Augustus erwachte von einem wilden Lärm, der das hallende Haus erfüllte, und als er sich erhob und die nächste Tür öffnete, fand er den Saal und alle Räume voll von seinen ehemaligen Freunden, die zu dem Fest gekommen waren und das Haus leer gefunden hatten. Sie waren erbost und enttäuscht, und er ging ihnen entgegen, um sie alle wie sonst mit einem Lächeln und einem Scherzwort zurückzugewinnen; aber er fühlte plötzlich, daß diese Macht von ihm gewichen war. Kaum sahen sie ihn, so begannen sie alle zugleich auf ihn einzuschreien, und als er hilflos lächelte und abwehrend die Hände ausstreckte, fielen sie wütend über ihn her.

»Du Gauner«, schrie einer, »wo ist das Geld, das du mir schuldig bist?« Und ein anderer: »Und das Pferd, das ich dir geliehen habe?« Und eine hübsche, zornige Frau: »Alle Welt weiß meine Geheimnisse, die du ausgeplaudert hast. O wie ich dich hasse, du Scheusal!« Und ein hohläugiger junger Mensch schrie mit verzerrtem Gesicht: »Weißt du, was du aus mir gemacht hast, du Satan, du Jugendverderber?«

Und so ging es weiter, und jeder häufte Schmach und Schimpf auf ihn, und jeder hatte recht, und viele schlugen ihn, und als sie gingen und im Gehen die

Spiegel zerschlugen und viele von den Kostbarkeiten mitnahmen, erhob sich Augustus vom Boden, geschlagen und verunehrt, und als er in sein Schlafzimmer trat und in den Spiegel blickte, um sich zu waschen, da schaute sein Gesicht ihm welk und häßlich entgegen, die roten Augen tränten, und von der Stirne tropfte Blut.

»Das ist die Vergeltung«, sagte er zu sich selber und wusch das Blut von seinem Gesicht, und kaum hatte er sich ein wenig besonnen, da drang von neuem Lärm ins Haus und Menschen kamen die Treppen heraufgestürmt: Geldleiher, denen er sein Haus verpfändet hatte, und ein Gatte, dessen Frau er verführt hatte, und Väter, deren Söhne durch ihn verlockt ins Laster und Elend gekommen waren, und entlassene Diener und Mägde, Polizei und Advokaten, und eine Stunde später saß er gefesselt in einem Wagen und wurde ins Gefängnis geführt. Hinterher schrie das Volk und sang Spottlieder, und ein Gassenjunge warf durchs Fenster dem Davongeführten eine Handvoll Kot ins Gesicht.

Da war die Stadt voll von den Schandtaten dieses Menschen, den so viele gekannt und geliebt hatten. Kein Laster, dessen er nicht angeklagt war, und keines, das er verleugnete. Menschen, die er lange vergessen hatte, standen vor den Richtern und sagten Dinge aus, die er vor Jahren getan hatte; Diener, die er beschenkt und die ihn bestohlen, erzählten die Geheimnisse seiner Laster, und jedes Gesicht war voll von Abscheu und von Haß, und keiner war da, der für ihn sprach, der ihn lobte, der ihn entschuldigte, der sich an Gutes von ihm erinnerte.

Er ließ alles geschehen, ließ sich in die Zelle und aus der Zelle vor die Richter und vor die Zeugen führen, er blickte verwundert und traurig aus kranken Augen in die vielen bösen, entrüsteten, gehässigen Gesichter, und in jedem sah er unter der Rinde von Haß und Entstellung einen heimlichen Liebreiz und Schein des Herzens glimmen. Alle diese hatten ihn einst geliebt, und er keinen von ihnen, nun tat er allen Abbitte und suchte bei jedem sich an etwas Gutes zu erinnern.

Am Ende wurde er in ein Gefängnis gesteckt, und niemand durfte zu ihm kommen, da sprach er in Fieberträumen mit seiner Mutter und mit seiner ersten Geliebten, mit dem Paten Binßwanger und mit der nordischen Dame vom Schiff, und wenn er erwachte und furchtbare Tage einsam und verloren saß, dann litt er alle Pein der Sehnsucht und Verlassenheit und schmachtete nach dem Anblick von Menschen, wie er nie nach irgendeinem Genusse oder nach irgendeinem Besitz geschmachtet hatte.

Und als er aus dem Gefängnisse kam, da war er krank und alt, und niemand kannte ihn mehr. Die Welt ging ihren Gang, man fuhr und ritt und promenierte in den Gassen, Früchte und Blumen, Spielzeug und Zeitungen wurden feilgeboten, nur an Augustus wandte sich niemand. Schöne Frauen, die er einst bei Musik und Champagner in seinen Armen gehalten hatte, fuhren in Equipagen an ihm vorbei, und hinter ihren Wagen schlug der Staub über Augustus zusammen.

Die furchtbare Leere und Einsamkeit aber, in welcher er mitten in seinem prächtigen Leben erstickt war, die hatte ihn ganz verlassen. Wenn er in ein Haustor trat, um sich für Augenblicke vor der Sonnenglut zu schützen, oder wenn er im Hof eines Hinterhauses um einen Schluck Wasser bat, dann wunderte er sich darüber, wie mürrisch und feindselig ihn die Menschen anhörten, dieselben, die ihm früher auf stolze und lieblose Worte dankbar und mit leuchtenden Augen geantwortet hatten. Ihn aber freute und ergriff und rührte jetzt der Anblick jedes Menschen, er liebte die Kinder, die er spielen und zur Schule gehen sah, und er liebte die alten Leute, die vor ihrem Häuschen auf der Bank saßen und die welken Hände an der Sonne wärmten. Wenn er einen jungen Burschen sah, der ein Mädchen mit sehnsüchtigen Blicken verfolgte, oder einen Arbeiter, der heimkehrend am Feierabend seine Kinder auf die Arme nahm, oder einen feinen, klugen Arzt, der still und eilig im Wagen dahinfuhr und an seine Kranken dachte, oder auch eine arme, schlecht gekleidete Dirne, die am Abend in der Vorstadt bei einer Laterne wartete und sogar ihm, dem Verstoßenen, ihre Liebe anbot, dann waren alle diese seine Brüder und Schwestern, und jeder trug die Erinnerung an eine geliebte Mutter und an eine bessere Herkunft oder das heimliche Zeichen einer schöneren und edleren Bestimmung an sich und jeder war ihm lieb und merkwürdig und gab ihm Anlaß zum Nachdenken, und keiner war schlechter, als er selbst sich fühlte.

Augustus beschloß, durch die Welt zu wandern und einen Ort zu suchen, wo es ihm möglich wäre, den Menschen irgendwie zu nützen und ihnen seine Liebe zu zeigen. Er mußte sich daran gewöhnen, daß sein Anblick niemanden mehr froh machte; sein Gesicht war eingefallen, seine Kleider und Schuhe waren die eines Bettlers, auch seine Stimme und sein Gang hatten nichts mehr von dem, was einst die Leute erfreut und bezaubert hatte. Die Kinder fürchteten ihn, weil sein struppiger grauer Bart lang herunterhing, die Wohlgekleideten scheuten seine Nähe, in der sie sich unwohl und beschmutzt fühlten, und die Armen mißtrauten ihm als einem Fremden, der ihnen ihre paar Bissen wegschnappen wollte. So hatte er Mühe, den Menschen zu dienen. Aber er lernte und ließ sich nichts verdrießen. Er sah ein kleines Kind sich nach der Türklinke des Bäckerladens strecken und sie mit dem Händchen nicht erreichen. Dem konnte er helfen, und manchmal fand sich auch einer, der noch ärmer war als er selbst, ein Blinder oder Gelähmter, dem er ein wenig auf seinem Wege helfen und wohltun konnte. Und wo er das nicht konnte, da gab er doch freudig das wenige, was er hatte, einen hellen, gütigen Blick und einen brüderlichen Gruß, eine Gebärde des Verstehens und des Mitleidens. Er lernte es auf seinen Wegen den Leuten ansehen, was sie von ihm erwarteten, woran sie Freude haben würden: der eine an einem lauten, frischen Gruß, der andere an einem stillen Blick und wieder einer daran, daß man ihm auswich und ihn nicht störte. Er wunderte sich täglich, wieviel Elend es auf der Welt gäbe, und wie vergnügt doch die Menschen sein können, und er fand es herrlich und begeisternd, immer wieder zu sehen, wie neben jedem Leid ein frohes Lachen, neben jedem Totengeläut ein Kindergesang, neben jeder Not und Gemeinheit eine Artigkeit, ein Witz, ein Trost, ein Lächeln zu finden war.

Das Menschenleben schien ihm vorzüglich eingerichtet. Wenn er um eine Ecke bog und es kam ihm eine Horde Schulbuben entgegengesprungen, wie blitzte da Mut und Lebenslust und junge Schönheit aus allen Augen, und wenn sie ihn ein wenig hänselten und plagten, so war das nicht so schlimm: es war sogar zu begreifen, er fand sich selber, wenn er sich in einem Schaufenster oder beim Trinken im Brunnen gespiegelt sah, recht welk und dürftig von Ansehen. Nein, für ihn konnte es sich nicht mehr darum handeln, den Leuten zu gefallen oder Macht auszuüben, davon hatte er genug gehabt. Für ihn war es jetzt schön und erbaulich, andere auf jenen Bahnen streben und sich fühlen zu sehen, die er einst gegangen war, und wie alle Menschen so eifrig und mit soviel Kraft und Stolz und Freude ihren Zielen nachgingen, das war ihm ein wunderbares Schauspiel.

Indessen wurde es Winter und wieder Sommer, Augustus lag lange Zeit in einem Armenspital krank, und hier genoß er still und dankbar das Glück, arme, niedergeworfene Menschen mit hundert zähen Kräften und Wünschen am Leben hängen und den Tod überwinden zu sehen. Herrlich war es, in den Zügen der Schwerkranken die Geduld und in den Augen der Genesenden die helle Lebenslust gedeihen zu sehen, und schön waren auch die stillen, würdigen Gesichter der Gestorbenen, und schöner als dies alles war die Liebe und Geduld der hübschen, reinlichen Pflegerinnen. Aber auch diese Zeit ging zu Ende, der Herbstwind blies, und Augustus wanderte weiter, dem Winter entgegen, und eine seltsame Ungeduld ergriff ihn, als er sah, wie unendlich langsam er vorwärts kam, da er doch noch überall hinkommen und noch so vielen, vielen Menschen in die Augen sehen wollte. Sein Haar war grau geworden, und seine Augen lächelten blöde hinter roten, kranken Lidern, und allmählich war auch sein Gedächtnis trübe geworden, so daß ihm schien, er habe die Welt niemals anders gesehen als heute; aber er war zufrieden und fand die Welt durchaus herrlich und liebenswert.

So kam er mit dem Einbruch des Winters in eine Stadt; der Schnee trieb durch die dunkeln Straßen, und ein paar späte Gassenbuben warfen dem Wanderer

Schneeballen nach, sonst aber war alles schon abendlich still. Augustus war sehr müde, da kam er in eine schmale Gasse, die schien ihm wohlbekannt, und wieder in eine, und da stand seiner Mutter Haus und das Haus des Paten Binßwanger, klein und alt im kalten Schneetreiben, und beim Paten war ein Fenster hell, das schimmerte rot und friedlich durch die Winternacht.

Augustus ging hinein und pochte an die Stubentür, und der kleine alte Mann kam ihm entgegen und führte ihn schweigend in seine Stube, da war es warm und still und ein kleines, helles Feuer brannte im Kamin.

»Bist du hungrig?« fragte der Pate. Aber Augustus war nicht hungrig, er lächelte nur und schüttelte den Kopf.

»Aber müde wirst du sein?« fragte der Pate wieder, und er breitete sein altes Fell auf dem Boden aus, und da kauerten die beiden alten Leute nebeneinander und sahen ins Feuer.

»Du hast einen weiten Weg gehabt«, sagte der Pate.

»Oh, es war sehr schön, ich bin nur ein wenig müde geworden. Darf ich bei dir schlafen? Dann will ich morgen weitergehen.«

»Ja, das kannst du. Und willst du nicht auch die Engel wieder tanzen sehen?«

»Die Engel? O ja, das will ich wohl, wenn ich einmal wieder ein Kind sein werde.«

»Wir haben uns lange nicht mehr gesehen«, fing der Pate wieder an. »Du bist so hübsch geworden, deine Augen sind wieder so gut und sanft wie in der alten Zeit, wo deine Mutter noch am Leben war. Es war freundlich von dir, mich zu besuchen.«

Der Wanderer in seinen zerrissenen Kleidern saß zusammengesunken neben seinem Freunde. Er war noch nie so müde gewesen, und die schöne Wärme und der Feuerschein machte ihn verwirrt, so daß er zwischen heute und damals nicht mehr deutlich unterscheiden konnte.

»Pate Binßwanger«, sagte er, »ich bin wieder unartig gewesen und die Mutter hat daheim geweint. Du mußt mit ihr reden und ihr sagen, daß ich wieder gut sein will. Willst du?«

»Ich will«, sagte der Pate, »sei nur ruhig, sie hat dich ja lieb.«

Nun war das Feuer kleingebrannt, und Augustus starrte mit denselben großen schläfrigen Augen in die schwache Röte, wie einstmals in seiner früheren Kindheit, und der Pate nahm seinen Kopf auf den Schoß, eine feine, frohe Musik klang zart und selig durch die finstere Stube, und tausend kleine, strahlende Geister kamen geschwebt und kreisten frohmütig in kunstvollen Verschlingungen umeinander und in Paaren durch die Luft. Und Augustus schaute und lauschte und tat alle seine zarten Kindersinne weit dem wiedergefundenen Paradiese auf.

Einmal war ihm, als habe ihn seine Mutter gerufen; aber er war zu müde, und der Pate hatte ihm ja versprochen, mit ihr zu reden. Und als er eingeschlafen war, legte ihm der Pate die Hände zusammen und lauschte an seinem stillgewordenen Herzen, bis es in der Stube völlig Nacht geworden war.

DER DICHTER

Es wird erzählt, daß der chinesische Dichter Han Fook in seiner Jugend von einem wunderbaren Drang beseelt war, alles zu lernen und sich in allem zu vervollkommnen, was zur Dichtkunst irgend gehört. Er war damals, da er noch in seiner Heimat am Gelben Flusse lebte, auf seinen Wunsch und mit Hilfe seiner Eltern, die ihn zärtlich liebten, mit einem Fräulein aus gutem Hause verlobt worden, und die Hochzeit sollte nun bald auf einen glückverheißenden Tag festgesetzt werden. Han Fook war damals etwa zwanzig Jahre alt und ein hübscher Jüngling, bescheiden und von angenehmen Umgangsformen, in den Wissenschaften unterrichtet und trotz seiner Jugend schon durch manche vorzügliche Gedichte unter den Literaten seiner Heimat bekannt. Ohne gerade reich zu sein, hatte er doch ein auskömmliches Vermögen zu erwarten, das durch die Mitgift seiner Braut noch erhöht wurde, und da diese Braut außerdem sehr schön und tugendhaft war, schien an dem Glücke des Jünglings durchaus nichts mehr zu fehlen. Dennoch war er nicht ganz zufrieden, denn sein Herz war von dem Ehrgeiz erfüllt, ein vollkommener Dichter zu werden.

Da geschah es an einem Abend, da ein Lampenfest auf dem Flusse begangen wurde, daß Han Fook allein am jenseitigen Ufer des Flusses wandelte. Er lehnte sich an den Stamm eines Baumes, der sich über das Wasser neigte, und sah im Spiegel des Flusses tausend

Lichter schwimmen und zittern, er sah auf den Booten und Flößen Männer und Frauen und junge Mädchen einander begrüßen und in festlichen Gewändern wie schöne Blumen glänzen, er hörte das schwache Gemurmel der beleuchteten Wasser, den Gesang der Sängerinnen, das Schwirren der Zither und die süßen Töne der Flötenbläser, und über dem allem sah er die bläuliche Nacht wie das Gewölbe eines Tempels schweben. Dem Jünglinge schlug das Herz, da er als einsamer Zuschauer, seiner Laune folgend, alle diese Schönheit betrachtete. Aber so sehr ihn verlangte, hinüberzugehen und dabei zu sein und in der Nähe seiner Braut und seiner Freunde das Fest zu genießen, so begehrte er dennoch weit sehnlicher, dies alles als ein feiner Zuschauer aufzunehmen und in einem ganz vollkommenen Gedichte widerzuspiegeln: die Bläue der Nacht und das Lichterspiel des Wassers sowohl wie die Lust der Festgäste und die Sehnsucht des stillen Zuschauers, der am Stamm des Baumes über dem Ufer lehnt. Er empfand, daß ihm bei allen Festen und aller Lust dieser Erde doch niemals ganz und gar wohl und heiter ums Herz sein könnte, daß er auch inmitten des Lebens ein Einsamer und gewissermaßen ein Zuschauer und Fremdling bleiben würde, und er empfand, daß seine Seele unter vielen anderen allein so beschaffen sei, daß er zugleich die Schönheit der Erde und das heimliche Verlangen des Fremdlings fühlen mußte. Darüber wurde er traurig und sann dieser Sache nach, und das Ziel seiner Gedanken war dieses, daß ihm ein wahres Glück und eine tiefe Sättigung nur dann zuteil werden könnte, wenn es ihm einmal gelänge, die Welt so vollkommen in Gedichten zu spiegeln, daß er in diesen Spiegelbildern die Welt selbst geläutert und verewigt besäße.

Kaum wußte Han Fook, ob er noch wache oder eingeschlummert sei, als er ein leises Geräusch vernahm und neben dem Baumstamm einen Unbekannten stehen sah, einen alten Mann in einem violetten Gewande und mit ehrwürdigen Mienen. Er richtete sich auf und begrüßte ihn mit dem Gruß, der den Greisen und Vornehmen zukommt, der Fremde aber lächelte und sprach einige Verse, in denen war alles, was der junge Mann soeben empfunden hatte, so vollkommen und schön und nach den Regeln der großen Dichter ausgedrückt, daß dem Jüngling vor Staunen das Herz stillstand.

»Oh, wer bist du«, rief er, indem er sich tief verneigte, »der du in meine Seele sehen kannst und schönere Verse sprichst, als ich je von allen meinen Lehrern vernommen habe?«

Der Fremde lächelte abermals mit dem Lächeln der Vollendeten und sagte: »Wenn du ein Dichter werden willst, so komm zu mir. Du findest meine Hütte bei der Quelle des großen Flusses in den nordwestlichen Bergen. Mein Name ist Meister des vollkommenen Wortes.«

Damit trat der alte Mann in den schmalen Schatten des Baumes und war alsbald verschwunden, und Han Fook, der ihn vergebens suchte und keine Spur von ihm mehr fand, glaubte nun fest, daß alles ein Traum der Müdigkeit gewesen sei. Er eilte zu den Booten hinüber und wohnte dem Feste bei, aber zwischen Gespräch und Flötenklang vernahm er immerzu die geheimnisvolle Stimme des Fremden, und seine Seele schien mit jenem dahingegangen, denn er saß fremd und mit träumenden Augen unter den Fröhlichen, die ihn mit seiner Verliebtheit neckten.

Wenige Tage später wollte Han Fooks Vater seine Freunde und Verwandten berufen, um den Tag der

Vermählung zu bestimmen. Da widersetzte sich der Bräutigam und sagte: »Verzeihe mir, wenn ich gegen den Gehorsam zu verstoßen scheine, den der Sohn dem Vater schuldet. Aber du weißt, wie sehr es mein Verlangen ist, in der Kunst der Dichter mich auszuzeichnen, und wenn auch einige meiner Freunde meine Gedichte loben, so weiß ich doch wohl, daß ich noch ein Anfänger und noch auf den ersten Stufen des Weges bin. Darum bitte ich dich, laß mich noch eine Weile in die Einsamkeit gehen und meinen Studien nachhängen, denn mir scheint, wenn ich erst eine Frau und ein Haus zu regieren habe, wird dies mich von jenen Dingen abhalten. Jetzt aber bin ich noch jung und ohne andere Pflichten und möchte noch eine Zeit allein für meine Dichtkunst leben, von der ich Freude und Ruhm erhoffe.«

Die Rede setzte den Vater in Erstaunen, und er sagte: »Diese Kunst muß dir wohl über alles lieb sein, da du ihretwegen sogar deine Hochzeit verschieben willst. Oder ist etwas zwischen dich und deine Braut gekommen, so sage es mir, daß ich dir helfen kann, sie zu versöhnen oder dir eine andere zu verschaffen.«

Der Sohn schwur aber, daß er seine Braut nicht weniger liebe als gestern und immer, und daß nicht der Schatten eines Streites zwischen ihn und sie gefallen sei. Und zugleich erzählte er seinem Vater, daß ihm durch einen Traum am Tag des Lampenfestes ein Meister kundgeworden sei, dessen Schüler zu werden er sehnlicher wünsche als alles Glück der Welt.

»Wohl«, sprach der Vater, »so gebe ich dir ein Jahr. In dieser Zeit magst du deinem Traum nachgehen, der vielleicht von einem Gott zu dir gesandt worden ist.«

»Es mögen auch zwei Jahre werden«, sagte Han Fook zögernd, »wer will das wissen?«

Da ließ ihn der Vater gehen und war betrübt, der Jüngling aber schrieb seiner Braut einen Brief, verabschiedete sich und zog davon.

Als er sehr lange gewandert war, erreichte er die Quelle des Flusses und fand in großer Einsamkeit eine Bambushütte stehen, und vor der Hütte saß auf einer geflochtenen Matte der alte Mann, den er am Ufer bei dem Baumstamm gesehen hatte. Er saß und spielte die Laute, und als er den Gast sich mit Ehrfurcht nähern sah, erhob er sich nicht, noch grüßte er ihn, sondern lächelte nur und ließ die zarten Finger über die Saiten laufen, und eine zauberhafte Musik floß wie eine silberne Wolke durch das Tal, daß der Jüngling stand und sich verwunderte und in süßem Erstaunen alles andere vergaß, bis der Meister des vollkommenen Wortes seine kleine Laute beiseite legte und in die Hütte trat. Da folgte ihm Han Fook mit Ehrfurcht und blieb bei ihm als sein Diener und Schüler.

Ein Monat verging, da hatte er gelernt, alle Lieder, die er zuvor gedichtet hatte, zu verachten, und er tilgte sie aus seinem Gedächtnisse. Und wieder nach Monaten tilgte er auch die Lieder, die er daheim von seinen Lehrern gelernt hatte, aus seinem Gedächtnis. Der Meister sprach kaum ein Wort mit ihm, er lehrte ihn schweigend die Kunst des Lautenspieles, bis das Wesen des Schülers ganz von Musik durchflossen war. Einst machte Han Fook ein kleines Gedicht, worin er den Flug zweier Vögel am herbstlichen Himmel beschrieb, und das ihm wohlgefiel. Er wagte nicht, es dem Meister zu zeigen, aber er sang es eines Abends abseits von der Hütte, und der Meister hörte es wohl. Er sagte jedoch kein Wort. Er spielte nur leise auf seiner Laute, und alsbald ward die Luft kühl und die

Dämmerung beschleunigt, ein scharfer Wind erhob sich, obwohl es mitten im Sommer war, und über den grau gewordenen Himmel flogen zwei Reiher in mächtiger Wandersehnsucht, und alles dies war so viel schöner und vollkommener als des Schülers Verse, daß dieser traurig wurde und schwieg und sich wertlos fühlte. Und so tat der Alte jedesmal, und als ein Jahr vergangen war, da hatte Han Fook das Lautenspiel beinahe vollkommen erlernt, die Kunst der Dichtung aber sah er immer schwerer und erhabener stehen.

Als zwei Jahre vergangen waren, spürte der Jüngling ein heftiges Heimweh nach den Seinigen, nach der Heimat und nach seiner Braut, und er bat den Meister, ihn reisen zu lassen.

Der Meister lächelte und nickte. »Du bist frei«, sagte er, »und kannst gehen, wohin du willst. Du magst wiederkommen, du magst wegbleiben, ganz wie es dir gefällt.«

Da machte sich der Schüler auf die Reise und wanderte rastlos, bis er eines Morgens in der Dämmerung am heimatlichen Ufer stand und über die gewölbte Brücke nach seiner Vaterstadt hinübersah. Er schlich verstohlen in seines Vaters Garten und hörte durchs Fenster des Schlafzimmers seines Vaters Atem gehen, der noch schlief, und er stahl sich in den Baumgarten beim Hause seiner Braut und sah vom Wipfel eines Birnbaumes, den er erstieg, seine Braut in der Kammer stehen und ihre Haare kämmen. Und indem er dies alles, wie er es mit seinen Augen sah, mit dem Bilde verglich, das er in seinem Heimweh davon gemalt hatte, ward es ihm deutlich, daß er doch zum Dichter bestimmt sei, und er sah, daß in den Träumen der Dichter eine Schönheit und Anmut wohnt, die man in den Dingen der Wirklichkeit vergeblich sucht.

Und er stieg von dem Baume herab und floh aus dem Garten und über die Brücke aus seiner Vaterstadt und kehrte in das hohe Tal im Gebirge zurück. Da saß wie einstmals der alte Meister vor seiner Hütte auf der bescheidenen Matte und schlug mit seinen Fingern die Laute, und statt der Begrüßung sprach er zwei Verse von den Beglückungen der Kunst, bei deren Tiefe und Wohllaut dem Jünger die Augen voll Tränen wurden.

Wieder blieb Han Fook bei dem Meister des vollkommenen Wortes, der ihn nun, da er die Laute beherrschte, auf der Zither unterrichtete, und die Monate schwanden hinweg wie Schnee im Westwinde. Noch zweimal geschah es, daß ihn das Heimweh übermannte. Das eine Mal lief er heimlich in der Nacht davon, aber noch ehe er die letzte Krümmung des Tales erreicht hatte, lief der Nachtwind über die Zither, die in der Tür der Hütte hing, und die Töne flohen ihm nach und riefen ihn zurück, daß er nicht widerstehen konnte. Das andere Mal aber träumte ihn, er pflanze einen jungen Baum in seinen Garten, und sein Weib stünde dabei, und seine Kinder begössen den Baum mit Wein und Milch. Als er erwachte, schien der Mond in seine Kammer, und er erhob sich verstört und sah nebenan den Meister im Schlummer liegen und seinen greisen Bart sachte zittern; da überfiel ihn ein bitterer Haß gegen diesen Menschen, der, wie ihm schien, sein Leben zerstört und ihn um seine Zukunft betrogen habe. Er wollte sich über ihn stürzen und ihn ermorden, da schlug der Greis die Augen auf und begann alsbald mit einer feinen, traurigen Sanftmut zu lächeln, die den Schüler entwaffnete.

»Erinnere dich, Han Fook«, sagte der Alte leise, »du bist frei, zu tun, was dir beliebt. Du magst in deine

Heimat gehen und Bäume pflanzen, du magst mich hassen und erschlagen, es ist wenig daran gelegen.«

»Ach, wie könnte ich dich hassen«, rief der Dichter in heftiger Bewegung. »Das ist, als ob ich den Himmel selbst hassen wollte.«

Und er blieb und lernte die Zither spielen, und danach die Flöte, und später begann er unter des Meisters Anweisung Gedichte zu machen, und er lernte langsam jene heimliche Kunst, scheinbar nur das Einfache und Schlichte zu sagen, damit aber in des Zuhörers Seele zu wühlen wie der Wind in einem Wasserspiegel. Er beschrieb das Kommen der Sonne, wie sie am Rand des Gebirges zögert, und das lautlose Huschen der Fische, wenn sie wie Schatten unter dem Wasser hinfliehen, oder das Wiegen einer jungen Weide im Frühlingswind, und wenn man es hörte, so war es nicht die Sonne und das Spiel der Fische und das Flüstern der Weide allein, sondern es schien der Himmel und die Welt jedesmal für einen Augenblick in vollkommener Musik zusammenzuklingen, und jeder Hörer dachte dabei mit Lust oder Schmerzen an das, was er liebte oder haßte, der Knabe ans Spiel, der Jüngling an die Geliebte und der Alte an den Tod.

Han Fook wußte nicht mehr, wie viele Jahre er bei dem Meister an der Quelle des großen Flusses verweilt habe; oft schien es ihm, als sei er erst gestern abend in dieses Tal getreten und vom Saitenspiel des Alten empfangen worden, oft auch war ihm, als seien hinter ihm alle Menschenalter und Zeiten hinabgefallen und wesenlos geworden.

Da erwachte er eines Morgens allein in der Hütte, und wo er auch suchte und rief, der Meister war verschwunden. Über Nacht schien plötzlich der Herbst gekommen, ein rauher Wind rüttelte an der alten Hütte, und über den Grat des Gebirges flogen große Scharen von Zugvögeln, obwohl es noch nicht ihre Zeit war.

Da nahm Han Fook die kleine Laute mit sich und stieg in das Land seiner Heimat hinab, und wo er zu Menschen kam, begrüßten sie ihn mit dem Gruß, der den Alten und Vornehmen zukommt, und als er in seine Vaterstadt kam, da war sein Vater und seine Braut und seine Verwandtschaft gestorben, und andere Menschen wohnten in ihren Häusern. Am Abend aber wurde das Lampenfest auf dem Flusse gefeiert, und der Dichter Han Fook stand jenseits auf dem dunkleren Ufer, an den Stamm eines alten Baumes gelehnt, und als er auf seiner kleinen Laute zu spielen begann, da seufzten die Frauen und blickten entzückt und beklommen in die Nacht, und die jungen Männer riefen nach dem Lautenspieler, den sie nirgends finden konnten, und riefen laut, daß noch keiner von ihnen jemals solche Töne einer Laute gehört habe. Han Fook aber lächelte. Er schaute in den Fluß, wo die Spiegelbilder der tausend Lampen schwammen; und wie er die Spiegelbilder nicht mehr von den wirklichen zu unterscheiden wußte, so fand er in seiner Seele keinen Unterschied zwischen diesem Feste und jenem ersten, da er hier als ein Jüngling gestanden war und die Worte des fremden Meisters vernommen hatte.

FLÖTENTRAUM

»Hier«, sagte mein Vater, und übergab mir eine kleine, beinerne Flöte, »nimm das und vergiß deinen alten Vater nicht, wenn du in fernen Ländern die Leute mit deinem Spiel erfreust. Es ist jetzt hohe Zeit, daß du die Welt siehst und etwas lernst. Ich habe dir diese Flöte machen lassen, weil du doch keine andre Arbeit tun und immer nur singen magst. Nur denke auch daran, daß du immer hübsche und liebenswürdige Lieder vorträgst, sonst wäre es schade um die Gabe, die Gott dir verliehen hat.«

Mein lieber Vater verstand wenig von der Musik, er war ein Gelehrter; er dachte, ich brauchte nur in das hübsche Flötchen zu blasen, so werde es schon gut sein. Ich wollte ihm seinen Glauben nicht nehmen, darum bedankte ich mich, steckte die Flöte ein und nahm Abschied.

Unser Tal war mir bis zur großen Hofmühle bekannt; dahinter fing denn also die Welt an, und sie gefiel mir sehr wohl. Eine müdgeflogene Biene hatte sich auf meinen Ärmel gesetzt, die trug ich mit mir fort, damit ich später bei meiner ersten Rast gleich einen Boten hätte, um Grüße in die Heimat zurückzusenden.

Wälder und Wiesen begleiteten meinen Weg, und der Fluß lief rüstig mit; ich sah, die Welt war von der Heimat wenig verschieden. Die Bäume und Blumen, die Kornähren und Haselbüsche sprachen mich an, ich sang ihre Lieder mit, und sie verstanden mich, gerade wie daheim; darüber wachte auch meine Biene wieder auf, sie kroch langsam bis auf meine Schulter, flog ab und umkreiste mich zweimal mit ihrem tiefen süßen Gebrumme, dann steuerte sie geradeaus rückwärts der Heimat zu.

Da kam aus dem Walde hervor ein junges Mädchen gegangen, das trug einen Korb am Arm und einen breiten, schattigen Strohhut auf dem blonden Kopf.

»Grüß Gott«, sagte ich zu ihr, »wo willst denn du hin?«

»Ich muß den Schnittern das Essen bringen«, sagte sie und ging neben mir. »Und wo willst du heut noch hinaus?«

»Ich gehe in die Welt, mein Vater hat mich geschickt. Er meint, ich solle den Leuten auf der Flöte vorblasen, aber das kann ich noch nicht richtig, ich muß es erst lernen.«

»So, so. Ja, und was kannst du denn eigentlich? Etwas muß man doch können.«

»Nichts Besonderes. Ich kann Lieder singen.«

»Was für Lieder denn?«

»Allerhand Lieder, weißt du, für den Morgen und für den Abend und für alle Bäume und Tiere und Blumen. Jetzt könnte ich zum Beispiel ein hübsches Lied singen von einem jungen Mädchen, das kommt aus dem Wald heraus und bringt den Schnittern ihr Essen.«

»Kannst du das? Dann sing's einmal!«

»Ja, aber wie heißt du eigentlich?«

»Brigitte.«

Da sang ich das Lied von der hübschen Brigitte mit dem Strohhut, und was sie im Korbe hat, und wie die Blumen ihr nachschauen, und die blaue Winde vom Gartenzaun langt nach ihr, und alles was dazu gehörte. Sie paßte ernsthaft auf und sagte, es wäre gut. Und als ich ihr erzählte, daß ich hungrig sei, da tat sie den Dekkel von ihrem Korb und holte mir ein Stück Brot heraus. Als ich da hineinbiß und tüchtig dazu weitermarschierte, sagte sie aber: »Man muß nicht im Laufen essen. Eins nach dem andern.« Und wir setzten uns ins Gras, und ich aß mein Brot, und sie schlang die braunen Hände um ihre Knie und sah mir zu.

»Willst du mir noch etwas singen?« fragte sie dann, als ich fertig war.

»Ich will schon. Was soll es sein?«

»Von einem Mädchen, dem ist sein Schatz davongelaufen, und es ist traurig.«

»Nein, das kann ich nicht. Ich weiß ja nicht, wie das ist, und man soll auch nicht so traurig sein. Ich soll immer nur artige und liebenswürdige Lieder vortragen, hat mein Vater gesagt. Ich singe dir vom Kuckucksvogel oder vom Schmetterling.«

»Und von der Liebe weißt du gar nichts?« fragte sie dann.

»Von der Liebe? O doch, das ist ja das allerschönste.«

Alsbald fing ich an und sang von dem Sonnenstrahl, der die roten Mohnblumen lieb hat, und wie er mit ihnen spielt und voller Freude ist. Und vom Finkenweibchen, wenn es auf den Finken wartet, und wenn er kommt, dann fliegt es weg und tut erschrocken. Und sang weiter von dem Mädchen mit den braunen Augen und von dem Jüngling, der daher kommt und singt und ein Brot dafür geschenkt bekommt; aber nun will er kein Brot mehr haben, er will einen Kuß von der Jungfer und will in ihre braunen Augen sehen, und er singt so lange fort und hört nicht auf, bis sie anfängt zu lächeln und bis sie ihm den Mund mit ihren Lippen schließt.

Da neigte Brigitte sich herüber und schloß mir den Mund mit ihren Lippen und tat die Augen zu und tat sie wieder auf, und ich sah in die nahen braungoldenen Sterne, darin war ich selber gespiegelt und ein paar weiße Wiesenblumen.

»Die Welt ist sehr schön«, sagte ich, »mein Vater hat recht gehabt. Jetzt will ich dir aber tragen helfen, daß wir zu deinen Leuten kommen.«

Ich nahm ihren Korb, und wir gingen weiter, ihr Schritt klang mit meinem Schritt und ihre Fröhlichkeit mit meiner gut zusammen, und der Wald sprach fein und kühl vom Berg herunter; ich war noch nie so vergnügt gewandert. Eine ganze Weile sang ich munter zu, bis ich aufhören mußte vor lauter Fülle; es war allzu vieles, was vom Tal und vom Berg und aus Gras und Laub und Fluß und Gebüschen zusammenrauschte und erzählte.

Da mußte ich denken: wenn ich alle diese tausend Lieder der Welt zugleich verstehen und singen könnte, von Gräsern und Blumen und Menschen und Wolken und allem, vom Laubwald und vom Föhrenwald und auch von allen Tieren, und dazu noch alle Lieder der fernen Meere und Gebirge, und die der Sterne und Monde, und wenn das alles zugleich in mir innen tönen und singen könnte, dann wäre ich der liebe Gott, und jedes neue Lied müßte als ein Stern am Himmel stehen.

Aber wie ich eben so dachte und davon ganz still und wunderlich wurde, weil mir das früher noch nie in den Sinn gekommen war, da blieb Brigitte stehen und hielt mich an dem Korbhenkel fest.

»Jetzt muß ich da hinauf«, sagte sie, »da droben sind unsere Leute im Feld. Und du, wo gehst du hin? Kommst du mit?«

»Nein, mitkommen kann ich nicht. Ich muß in die Welt. Schönen Dank für das Brot, Brigitte, und für den Kuß; ich will an dich denken.«

Sie nahm ihren Eßkorb, und über dem Korb neigten sich ihre Augen im braunen Schatten noch einmal zu mir, und ihre Lippen hingen an meinen, und ihr Kuß war so gut und lieb, daß ich vor lauter Wohlsein beinah traurig werden wollte. Da rief ich schnell Lebewohl und marschierte eilig die Straße hinunter.

Das Mädchen stieg langsam den Berg hinan, und unter dem herabhängenden Buchenlaub am Waldrand blieb sie stehen und sah herab und mir nach, und als ich ihr winkte und den Hut überm Kopf schwang, da nickte sie noch einmal und verschwand still wie ein Bild in den Buchenschatten hinein.

Ich aber ging ruhig meine Straße und war in Gedanken, bis der Weg um eine Ecke bog.

Da stand eine Mühle, und bei der Mühle lag ein Schiff auf dem Wasser, darin saß ein Mann allein und schien nur auf mich zu warten, denn als ich den Hut zog und zu ihm in das Schiff hinüberstieg, da fing das Schiff sogleich zu fahren an und lief den Fluß hinunter. Ich saß in der Mitte des Schiffs, und der Mann saß hinten am Steuer, und als ich ihn fragte, wohin wir führen, da blickte er auf und sah mich aus verschleierten grauen Augen an.

»Wohin du magst«, sagte er mit einer gedämpften Stimme. »Den Fluß hinunter und ins Meer, oder zu den großen Städten, du hast die Wahl. Es gehört alles mir.«

»Es gehört alles dir? Dann bist du der König?«

»Vielleicht«, sagte er. »Und du bist ein Dichter, wie mir scheint? Dann singe mir ein Lied zum Fahren!«

Ich nahm mich zusammen, es war mir bange vor dem ernsten grauen Mann, und unser Schiff schwamm so schnell und lautlos den Fluß hinab. Ich sang vom Fluß, der die Schiffe trägt und die Sonne spiegelt und am Felsenufer stärker aufrauscht und freudig seine Wanderung vollendet.

Des Mannes Gesicht blieb unbeweglich, und als ich aufhörte, nickte er still wie ein Träumender. Und alsdann begann er zu meinem Erstaunen selber zu singen, und auch er sang vom Fluß und von des Flusses Reise durch die Täler, und sein Lied war schöner und mächtiger als meines, aber es klang alles ganz anders.

Der Fluß, wie er ihn sang, kam als ein taumelnder Zerstörer von den Bergen herab, finster und wild; knirschend fühlte er sich von den Mühlen gebändigt, von den Brücken überspannt, er haßte jedes Schiff, das er tragen mußte, und in seinen Wellen und langen grünen Wasserpflanzen wiegte er lächelnd die weißen Leiber der Ertrunkenen.

Das alles gefiel mir nicht und war doch so schön und geheimnisvoll von Klang, daß ich ganz irre wurde und beklommen schwieg. Wenn das richtig war, was dieser alte, feine und kluge Sänger mit seiner gedämpften Stimme sang, dann waren alle meine Lieder nur Torheit und schlechte Knabenspiele gewesen. Dann war die Welt auf ihrem Grund nicht gut und licht wie Gottes Herz, sondern dunkel und leidend, böse und finster, und wenn die Wälder rauschten, so war es nicht aus Lust, sondern aus Qual.

Wir fuhren dahin, und die Schatten wurden lang, und jedesmal, wenn ich zu singen anfing, tönte es weniger hell, und meine Stimme wurde leiser, und jedesmal erwiderte der fremde Sänger mir ein Lied, das die Welt noch rätselhafter und schmerzlicher machte und mich noch befangener und trauriger.

Mir tat die Seele weh, und ich bedauerte, daß ich nicht am Lande und bei den Blumen geblieben war oder bei der schönen Brigitte, und um mich in der wachsenden

Dämmerung zu trösten, fing ich mit lauter Stimme wieder an und sang durch den roten Abendschein das Lied von Brigitte und ihren Küssen.

Da begann die Dämmerung, und ich verstummte, und der Mann am Steuer sang, und auch er sang von der Liebe und Liebeslust, von braunen und von blauen Augen, von roten feuchten Lippen, und es war schön und ergreifend, was er leidvoll über dem dunkelnden Fluß sang, aber in seinem Lied war auch die Liebe finster und bang und ein tödliches Geheimnis geworden, an dem die Menschen irr und wund in ihrer Not und Sehnsucht tasteten, und mit dem sie einander quälten und töteten.

Ich hörte zu und wurde so müde und betrübt, als sei ich schon Jahre unterwegs und sei durch lauter Jammer und Elend gereist. Von dem Fremden her fühlte ich immerzu einen leisen, kühlen Strom von Trauer und Seelenangst zu mir herüber und in mein Herz schleichen.

»Also ist denn nicht das Leben das Höchste und Schönste«, rief ich endlich bitter, »sondern der Tod. Dann bitte ich dich, du trauriger König, singe mir ein Lied vom Tode!«

Der Mann am Steuer sang nun vom Tode, und er sang schöner, als ich je hatte singen hören. Aber auch der Tod war nicht das Schönste und Höchste, es war auch bei ihm kein Trost. Der Tod war Leben, und das Leben war Tod, und sie waren ineinander verschlungen in einem ewigen rasenden Liebeskampf, und dies war das Letzte und der Sinn der Welt, und von dorther kam ein Schein, der alles Elend noch zu preisen vermochte, und von dorther kam ein Schatten, der alle Lust und alle Schönheit trübte und mit Finsternis umgab. Aber aus der Finsternis brannte die Lust inniger und schöner, und die Liebe glühte tiefer in dieser Nacht.

Ich hörte zu und war ganz still geworden, ich hatte keinen Willen mehr in mir als den des fremden Mannes. Sein Blick ruhte auf mir, still und mit einer gewissen traurigen Güte, und seine grauen Augen waren voll vom Weh und von der Schönheit der Welt. Er lächelte mich an, und da faßte ich mir ein Herz und bat in meiner Not: »Ach, laß uns umkehren, du! Mir ist angst hier in der Nacht, und ich möchte zurück und dahin gehen, wo ich Brigitte finden kann, oder heim zu meinem Vater.«

Der Mann stand auf und deutete in die Nacht, und seine Laterne schien hell auf sein mageres und festes Gesicht. »Zurück geht kein Weg«, sagte er ernst und freundlich, »man muß immer vorwärtsgehen, wenn man die Welt ergründen will. Und von dem Mädchen mit den braunen Augen hast du das Beste und Schönste schon gehabt, und je weiter du von ihr bist, desto besser und schöner wird es werden. Aber fahre du immerhin, wohin du magst, ich will dir meinen Platz am Steuer geben!«

Ich war zum Tod betrübt und sah doch, daß er recht hatte. Voll Heimweh dachte ich an Brigitte und an die Heimat und an alles, was eben noch nahe und licht und mein gewesen war, und was ich nun verloren hatte. Aber jetzt wollte ich den Platz des Fremden nehmen und das Steuer führen. So mußte es sein.

Darum stand ich schweigend auf und ging durch das Schiff zum Steuersitz, und der Mann kam mir schweigend entgegen, und als wir beieinander waren, sah er mir fest ins Gesicht und gab mir seine Laterne.

Aber als ich nun am Steuer saß und die Laterne neben mir stehen hatte, da war ich allein im Schiff, ich erkannte es mit einem tiefen Schauder, der Mann war verschwunden, und doch war ich nicht erschrocken, ich hatte es geahnt. Mir schien, es sei der schöne Wandertag und Brigitte und mein Vater und die Heimat nur ein Traum gewesen, und ich sei alt und betrübt und sei schon immer und immer auf diesem nächtlichen Fluß gefahren.

Ich begriff, daß ich den Mann nicht rufen dürfe, und die Erkenntnis der Wahrheit überlief mich wie ein Frost.

Um zu wissen, was ich schon ahnte, beugte ich mich über das Wasser hinaus und hob die Laterne, und aus dem schwarzen Wasserspiegel sah mir ein scharfes und ernstes Gesicht mit grauen Augen entgegen, ein altes, wissendes Gesicht, und das war ich.

Und da kein Weg zurückführte, fuhr ich auf dem dunkeln Wasser weiter durch die Nacht.

MERKWÜRDIGE NACHRICHT VON EINEM ANDERN STERN

In einer der Südprovinzen unseres schönen Sterns war ein gräßliches Unglück geschehen. Ein von furchtbaren Gewitterstürmen und Überschwemmungen begleitetes Erdbeben hatte drei große Dörfer und alle ihre Gärten, Felder, Wälder und Pflanzungen beschädigt. Eine Menge von Menschen und Tieren war umgekommen, und, was am meisten traurig war, es fehlte durchaus an der notwendigen Menge von Blumen, um die Toten einzuhüllen und ihre Ruhestätten geziemend zu schmücken.

Für alles andere war natürlich sofort gesorgt worden. Boten mit dem großen Liebesruf hatten alsbald nach der schrecklichen Stunde die benachbarten Gegenden durcheilt, und von allen Türmen der ganzen Provinz hörte man die Vorsänger jenen rührenden und herzbewegenden Vers singen, der seit alters als der Gruß an die Göttin des Mitleids bekannt ist und dessen Tönen niemand widerstehen konnte. Es kamen aus allen Städten und Gemeinden her alsbald Züge von Mitleidigen und Hilfsbereiten herbei, und die Unglücklichen, welche das Dach über dem Haupte verloren hatten, wurden mit freundlichen Einladungen und Bitten überhäuft, hier und dort bei Verwandten, bei Freunden, bei Fremden Wohnung zu nehmen. Speise und Kleider, Wagen und Pferde, Werkzeuge, Steine und Holz und viele andere Dinge wurden von allen Seiten her zu Hilfe gebracht, und während die Greise, Weiber und Kinder noch von mildtätigen Händen tröstlich und gastlich hinweggeführt wurden, während man die Verletzten sorgfältig wusch und verband und unter den Trümmern nach den Toten suchte, da waren andere schon daran gegangen, eingestürzte Dächer abzuräumen, wankende Mauern mit Balken abzustützen und alles Notwendige für den raschen Neubau vorzubereiten. Und obwohl von dem Unglück her noch ein Hauch von Grauen in den Lüften hing und von allen den Toten eine Mahnung zu Trauer und ehrerbietigem Schweigen ausging, war dennoch in allen Gesichtern und Stimmen eine freudige Bereitschaft und eine gewisse zarte Festlichkeit zu verspüren; denn die Gemeinsamkeit eines fleißigen Tuns und die erquickende Gewißheit, etwas so ungemein Notwendiges, etwas so Schönes und Dankenswertes zu tun, strömte in allen Herzen über. Anfangs war alles noch in Scheu und Schweigen geschehen, bald aber wurde da und dort eine fröhliche Stimme, ein leise zur gemeinsamen Arbeit gesungenes Lied hörbar, und wie man sich denken kann, waren unter allem, was gesungen wurde, obenan die beiden alten Spruchverse: »Selig, Hilfe zu bringen dem frisch von der Not Überfallenen; trinkt nicht sein Herz die Wohltat wie ein dürrer Garten den ersten Regen, und gibt Antwort in Blumen der Dankbarkeit?« Und jener andere: »Heiterkeit Gottes strömt aus gemeinsamem Handeln.«

Aber nun entstand eben jener beklagenswerte Mangel an Blumen. Die Toten zwar, die man zuerst gefunden hatte, waren mit den Blumen und Zweigen geschmückt worden, welche man noch aus den zerstörten Gärten gesammelt hatte. Dann hatte man begonnen, aus den benachbarten Orten alle erreichbaren Blumen zu holen. Aber dies war eben das besondere Unglück, daß gerade die drei zerstörten Gemeinden die größten und schönsten Gärten für die Blumen dieser Jahreszeit besessen hatten. Hierher war man in jedem Jahre gekommen, um die Narzissen und die Krokus zu sehen, deren es nirgends sonst solche unabsehbare Mengen gab und so gepflegte, wunderbar gefärbte Arten; und das alles war nun zerstört und verdorben. So stand man bald ratlos und wußte nicht, wie man an allen diesen Toten das Gebot der Sitte erfüllen sollte, welches doch verlangt, daß jeder gestorbene Mensch und jedes gestorbene Tier festlich mit den Blumen der Jahreszeit geschmückt und daß seine Bestattung desto reicher und prangender begangen werde, je plötzlicher und trauriger einer ums Leben gekommen ist.

Der Älteste der Provinz, der als einer der ersten von den Hilfebringenden in seinem Wagen erschienen war, fand sich bald so sehr von Fragen, Bitten und Klagen bestürmt, daß er Mühe hatte, seine Ruhe und Heiterkeit zu bewahren. Aber er hielt sein Herz in festen Händen, seine Augen blieben hell und freundlich, seine Stimme klar und höflich und seine Lippen unter dem weißen Barte vergaßen nicht einen Augenblick das stille und gütige Lächeln, das ihm als einem Weisen und Ratgeber anstand.

»Meine Freunde«, sagte er, »es ist ein Unglück über uns gekommen, mit welchem die Götter uns prüfen wollen. Alles, was hier vernichtet ist, werden wir unsern Brüdern bald wieder aufbauen und zurückgeben können, und ich danke den Göttern, daß ich im hohen Alter dieses noch erleben durfte, wie ihr alle gekommen seid und das Eure habet liegen lassen, um unsern Brüdern zu helfen. Wo aber nehmen wir nun die Blumen her, um alle diese Toten schön und anständig für das Fest ihrer Verwandlung zu schmücken? Denn es darf, solange wir da sind und leben, nicht geschehen, daß ein einziger von diesen müden Pilgern ohne sein richtiges Blumenopfer begraben werde. Dies ist ja wohl eure Meinung.«

»Ja«, riefen alle, »das ist auch unsere Meinung.« »Ich weiß es«, sagte der Älteste mit seiner väterlichen Stimme. »Ich will nun sagen, was wir tun müssen, ihr Freunde. Wir müssen alle jene Ermüdeten, welche wir heute nicht begraben können, in den großen Sommertempel hoch ins Gebirge bringen, wo jetzt noch der Schnee liegt. Dort sind sie sicher und werden sich nicht verändern, bis ihre Blumen herbeigeschafft sind. Aber da ist nur Einer, der uns zu so vielen Blumen in dieser Jahreszeit helfen könnte. Das kann nur der König. Darum müssen wir einen von uns zum König senden, daß er ihn um Hilfe bitte.«

Und wieder nickten alle und riefen: »Ja, ja, zum König!« »So ist es«, fuhr der Älteste fort, und unter dem weißen Bart sah jedermann mit Freude sein schönes Lächeln glänzen. »Wen aber sollen wir zum König schicken? Er muß jung und rüstig sein, denn der Weg ist weit, und wir müssen ihm unser bestes Pferd mitgeben. Er muß aber auch hübsch und guten Herzens sein und viel Glanz in den Augen haben, damit ihm das Herz des Königs nicht widerstehen kann. Worte braucht er nicht viele zu sagen, aber seine Augen müssen reden können. Am besten wäre es wohl, ein Kind zu senden, das hübscheste Kind aus der Gemeinde, aber wie könnte das eine solche Reise tun? Ihr müsset mir helfen, meine Freunde, und wenn einer da ist, der die Botschaft auf sich nehmen will, oder wenn jemand einen kennt und weiß, so bitte ich ihn, es zu sagen.«

Der Älteste schwieg und blickte mit seinen hellen Augen umher, es trat aber niemand vor und keine Stimme meldete sich.

Als er seine Frage nochmals und zum drittenmal wiederholte, da kam ihm aus der Menge ein Jüngling entgegen, sechzehn Jahre alt und beinahe noch ein Knabe. Er schlug die Augen zu Boden und wurde rot, als er den Ältesten begrüßte.

Der Älteste sah ihn an und sah im Augenblick, daß dieser der rechte Bote sei. Aber er lächelte und sagte: »Das ist schön, daß du unser Bote sein willst. Aber wie kommt es denn, daß unter all diesen vielen gerade du es bist, der sich anbietet?«

Da hob der Jüngling seine Augen zu dem alten Manne auf und sagte: »Wenn kein andrer da ist, der gehen will, so lasset mich gehen.«

Einer aus der Menge aber rief: »Schicket ihn, Ältester, wir kennen ihn. Er stammt aus diesem Dorfe hier, und das Erdbeben hat seinen Blumengarten verwüstet, es war der schönste Blumengarten in unserm Ort.«

Freundlich blickte der Alte dem Knaben in die Augen und fragte: »Tut es dir so leid um deine Blumen?«

Der Jüngling gab ganz leise Antwort: »Es tut mir leid, aber nicht darum habe ich mich gemeldet. Ich habe einen lieben Freund gehabt, und auch ein junges schönes Lieblingspferd, die sind beide im Erdbeben umgekommen, und sie liegen in unsrer Halle, und es müssen Blumen da sein, damit sie begraben werden können.«

Der Älteste segnete ihn mit aufgelegten Händen, und alsbald wurde das beste Pferd für ihn ausgesucht, und er sprang augenblicklich auf den Rücken des Pferdes, klopfte ihm den Hals und nickte Abschied, dann sprengte er aus dem Dorfe und quer über die nassen und verwüsteten Felder hin von dannen.

Den ganzen Tag war der Jüngling geritten. Um schneller zu der fernen Hauptstadt und zum König zu kommen, schlug er den Weg über das Gebirge ein, und am Abend, als es zu dunkeln anfing, führte er sein Roß am Zügel einen steilen Weg durch Wald und Felsen hinan.

Ein großer dunkler Vogel, wie er noch keinen gesehen hatte, flog ihm voraus, und er folgte ihm, bis der Vogel sich auf dem Dache eines kleinen offenen Tempels niederließ. Der Jüngling ließ sein Roß im Waldgras stehen und trat zwischen den hölzernen Säulen in das einfache Heiligtum. Als Opferstein fand er nur einen Felsblock aufgestellt, einen Block aus schwarzem Gestein, wie man es in der Gegend nicht fand, und darauf das seltene Sinnbild einer Gottheit, die der Bote nicht kannte: ein Herz, an welchem ein wilder Vogel fraß.

Er bezeigte der Gottheit seine Ehrfurcht und brachte als Opfergabe eine blaue Glockenblume dar, die er am Fuß des Berges gepflückt und in sein Kleid gesteckt hatte. Alsdann legte er sich in einer Ecke nieder, denn er war sehr müde und dachte zu schlafen.

Aber er konnte den Schlaf nicht finden, der sonst jeden Abend ungerufen an seinem Lager stand. Die Glockenblume auf dem Felsen, oder der schwarze Stein selbst, oder was es sonst war, strömte einen sonderbar tiefen und schmerzlichen Duft aus, das unheimliche Sinnbild des Gottes schimmerte geisterhaft in der finstern Halle, und auf dem Dache saß der fremde Vogel und schlug von Zeit zu Zeit gewaltig mit seinen ungeheuren Flügeln, daß es rauschte wie Sturm in den Bäumen.

So kam es, daß mitten in der Nacht sich der Jüngling erhob und aus dem Tempel trat und zu dem Vogel emporschaute. Der schlug mit den Flügeln und blickte den Jüngling an.

»Warum schläfst du nicht?« fragte der Vogel.

»Ich weiß nicht«, sagte der Jüngling. »Vielleicht, weil ich Leid erfahren habe.«

»Was für ein Leid hast du denn erfahren?«

»Mein Freund und mein Lieblingsroß sind beide umgekommen.«

»Ist denn Sterben so schlimm?« fragte der Vogel höhnend.

»Ach nein, großer Vogel, es ist nicht so schlimm, es ist nur ein Abschied, aber nicht darüber bin ich traurig. Schlimm ist, daß wir meinen Freund und mein schönes Pferd nicht begraben können, weil wir gar keine Blumen mehr haben.«

»Es gibt Schlimmeres als dies«, sagte der Vogel, und seine Flügel rauschten unwillig.

»Nein, Vogel, Schlimmeres gibt es gewiß nicht. Wer ohne Blumenopfer begraben wird, dem ist es verwehrt, nach seines Herzens Wunsche wiedergeboren zu werden. Und wer seine Toten begräbt und feiert nicht das Blumenfest dazu, der sieht die Schatten seiner Gestorbenen im Traum. Du siehst, schon kann ich nicht mehr schlafen, weil meine Toten noch ohne Blumen sind.«

Der Vogel schnarrte kreischend mit dem gebogenen Schnabel.

»Junger Knabe, du weißt nichts von Leid, wenn du sonst nichts erfahren hast als dieses. Hast du denn nie von den großen Übeln reden hören? Vom Haß, vom Mord, von der Eifersucht?«

Der Jüngling, da er diese Worte aussprechen hörte, glaubte zu träumen. Dann besann er sich und sagte bescheiden: »Wohl, du Vogel, ich erinnere mich; davon steht in den alten Geschichten und Märchen geschrieben. Aber das ist ja außerhalb der Wirklichkeit, oder vielleicht war es einmal vor langen Zeiten so auf der Welt, als es noch keine Blumen und noch keine guten Götter gab. Wer wird daran denken!«

Der Vogel lachte leise mit seiner scharfen Stimme. Dann reckte er sich höher und sagte zu dem Knaben: »Und nun willst du also zum König gehen, und ich soll dir den Weg zeigen?«

»Oh, du weißt es schon«, rief der Jüngling freudig. »Ja, wenn du mich führen willst, so bitte ich dich darum.«

Da senkte sich der große Vogel lautlos auf den Boden nieder, breitete seine Flügel lautlos auseinander und befahl dem Jüngling, sein Pferd hier zurückzulassen und mit ihm zum König zu fahren.

Der Königsbote setzte sich und ritt auf dem Vogel. »Schließe die Augen!« befahl der Vogel, und er tat es, und sie flogen durch die Finsternis des Himmels lautlos und weich wie Eulenflug, nur die kalte Luft brauste an des Boten Ohren. Und sie flogen und flogen die ganze Nacht.

Als es früh am Morgen war, da hielten sie still, und der Vogel rief: »Tu deine Augen auf!« Und der Jüngling tat seine Augen auf. Da sah er, daß er am Rande eines Waldes stand, und unter ihm in der ersten Morgenhelle die glänzende Ebene, daß ihr Licht ihn blendete.

»Hier am Walde findest du mich wieder«, rief der Vogel. Er schoß in die Höhe wie ein Pfeil und war alsbald im Blauen verschwunden.

Seltsam war es dem jungen Boten, als er vom Walde in die weite Ebene hineinwanderte. Alles rings um ihn her war so verändert und verwandelt, daß er nicht wußte, ob er wach oder im Traume sei. Wiesen und Bäume standen ähnlich wie daheim, und Sonne schien, und Wind spielte in blühenden Gräsern, aber nicht

Mensch noch Tier, nicht Haus noch Garten war zu sehen, sondern es schien hier gerade wie in des Jünglings Heimat ein Erdbeben gewütet zu haben; denn Trümmer von Gebäuden, zerbrochene Äste und umgerissene Bäume, zerstörte Zäune und verlorene Werkzeuge der Arbeit lagen am Boden verstreut, und plötzlich sah er da, mitten im Felde, einen toten Menschen liegen, der war nicht bestattet worden und lag grauenhaft in halber Verwesung. Der Jüngling fühlte bei diesem Anblick ein tiefes Grauen und einen Hauch von Ekel in sich aufsteigen, denn nie hatte er so etwas gesehen. Dem Toten war nicht einmal das Gesicht bedeckt, es schien von den Vögeln und von der Fäulnis schon halb zerstört, und der Jüngling brach mit abgewandten Blicken grüne Blätter und einige Blumen und deckte damit das Angesicht des Toten zu.

Ein namenlos scheußlicher und herzbeklemmender Geruch lag lau und zäh über der ganzen Ebene. Wieder lag ein Toter im Grase, von Rabenflug umkreist, und ein Pferd ohne Kopf, und Knochen von Menschen oder Tieren, und alle lagen verlassen in der Sonne, niemand schien an Blumenfest und Bestattung zu denken. Der Jüngling fürchtete, es möchte am Ende unausdenkliches Unglück alle und jeden Menschen in diesem Lande getötet haben, und es waren der Toten so manche, daß er aufhören mußte, ihnen Blumen zu brechen und das Gesicht zu bedecken. Ängstlich, mit halb geschlossenen Augen wanderte er weiter, und von allen Seiten strömte Aasgestank und Blutgeruch, und von tausend Trümmerstätten und Leichenstätten her flutete eine immer mächtigere Woge von unsäglichem Jammer und Leid. Der Bote meinte in einem argen Traume befangen zu sein und fühlte darin eine Mahnung der Himmlischen, weil seine Toten noch ohne Blumenfest und ohne Begräbnis waren. Da kam ihm wieder in den Sinn, was heute nacht der dunkle Vogel auf dem Dach des Tempels gesprochen hatte, und er meinte wieder seine scharfe Stimme zu hören, wie er sagte: »Es gibt viel Schlimmeres.«

Nun erkannte er, daß der Vogel ihn auf einen andern Stern gebracht habe, und daß alles das, was seine Augen sahen, Wirklichkeit und Wahrheit sei. Er erinnerte sich an das Gefühl, mit dem er einigemal als Knabe schaurige Märchen aus der Urzeit hatte erzählen hören. Dieses nämliche Gefühl empfand er jetzt wieder: ein fröstelndes Grausen, und hinter dem Grausen einen stillen frohen Trost im Herzen, denn dies alles war ja unendlich fern und lang vergangen. Alles war hier wie ein Gruselmärchen, diese ganze seltsame Welt der Greuel und Leichen und Aasvögel schien ohne Sinn und ohne Zucht unverständlichen Regeln untertan, tollen Regeln, nach welchen immer das Schlechte, das Törichte, das Häßliche geschah statt des Schönen und Guten.

Indessen sah er nun einen lebendigen Menschen über das Feld gehen, einen Bauern oder Knecht, und er lief schnell zu ihm hinüber und rief ihn an. Als er ihn in der Nähe sah, erschrak der Jüngling, und sein Herz wurde von Mitleid überfallen, denn dieser Bauer sah furchtbar häßlich und kaum mehr wie ein Kind der Sonne aus. Er sah aus wie ein Mensch, der daran gewöhnt wäre, nur an sich selbst zu denken, der daran gewöhnt wäre, daß überall stets das Falsche, das Häßliche und Schlimme geschah, wie ein Mensch, der immerfort in grauenvollen Angstträumen lebte. In seinen Augen und in seinem ganzen Gesicht und Wesen war nichts von Heiterkeit oder Güte, nichts von Dankbarkeit und Vertrauen, jede einfachste und selbstverständliche Tugend schien diesem Unglücklichen zu mangeln.

Aber der Jüngling nahm sich zusammen, er näherte sich dem Menschen mit großer Freundlichkeit, als einem vom Unglück Gezeichneten, grüßte ihn brüderlich und redete ihn mit Lächeln an. Der Häßliche stand wie erstarrt und blickte verwundert aus großen, trüben Augen. Seine Stimme war roh und ohne Musik wie das Gebrüll niederer Wesen; aber es war ihm doch nicht möglich, der Heiterkeit und dem demütigen Vertrauen in des Jünglings Blick zu widerstehen. Und als er eine Weile auf den Fremdling gestarrt hatte, brach aus seinem zerklüfteten und rohen Gesicht eine Art von Lächeln oder Grinsen – häßlich genug, aber sanft und erstaunt, wie das erste kleine Lächeln einer wiedergeborenen Seele, die soeben aus dem untersten Bezirk der Erde gekommen wäre.

»Was willst du von mir?« fragte der Mensch den fremden Jüngling.

Nach der heimatlichen Sitte gab der Jüngling Antwort: »Ich danke dir, Freund, und ich bitte dich, mir zu sagen, ob ich dir einen Dienst erweisen kann.«

Als der Bauer schwieg und staunte und verlegen lächelte, fragte ihn der Bote: »Sag mir, Freund, was ist das hier, dieses Entsetzliche und Furchtbare?« und wies mit der Hand ringsum.

Der Bauer bemühte sich, ihn zu verstehen, und als der Bote seine Frage wiederholt hatte, sagte er: »Hast du das nie gesehen? Das ist der Krieg. Das ist ein Schlachtfeld.« Er zeigte auf einen schwarzen Trümmerhaufen und rief: »Das da war mein Haus«, und als der Fremde ihm voll herzlicher Teilnahme in die unreinen Augen blickte, schlug er sie nieder und sah zu Boden.

»Habt ihr keinen König?« fragte nun der Jüngling weiter, und als der Bauer bejahte, fragte er: »Wo ist er denn?« Der Mensch wies mit der Hand hinüber, wo ganz in der Weite ein Zeltlager klein und fern zu sehen war. Da nahm der Bote Abschied, indem er seine Hand auf des Menschen Stirn legte, und ging weiter. Der Bauer aber befühlte seine Stirn mit beiden Händen, schüttelte bekümmert den schweren Kopf und stand noch lange Zeit und starrte dem Fremden nach.

Der lief und lief über Schutt und Greuel hinweg, bis er an dem Zeltlager angekommen war. Da standen und liefen bewaffnete Männer überall, niemand wollte ihn sehen, und er ging zwischen den Menschen und Zelten hindurch, bis er das größte und schönste Zelt des Lagers fand, welches das Zelt des Königs war. Da ging er hinein.

Im Zelte saß auf einem einfachen niedern Lager der König, sein Mantel lag neben ihm, und hinten im tieferen Schatten hockte ein Diener, der war eingeschlafen. Der König saß gebeugt in tiefen Gedanken. Sein Gesicht war schön und traurig, ein Büschel grauen Haares hing über seine gebräunte Stirn, sein Schwert lag vor ihm am Boden.

Der Jüngling grüßte stumm in tiefer Ehrerbietung, wie er seinen eignen König begrüßt hätte, und er blieb wartend mit auf der Brust gekreuzten Armen stehen, bis der König ihn erblickte.

»Wer bist du?« fragte er streng und zog die dunklen Brauen zusammen, aber sein Blick blieb an den reinen und heitern Zügen des Fremden hängen, und der Jüngling blickte ihn so vertrauensvoll und freundlich an, daß des Königs Stimme milder wurde.

»Ich habe dich schon einmal gesehen«, sagte er nachsinnend, »oder du gleichst jemand, den ich in meiner Kindheit kannte.«

»Ich bin ein Fremder«, sagte der Bote.

»Dann ist es ein Traum gewesen«, sagte leise der König. »Du erinnerst mich an meine Mutter. Sprich zu mir. Erzähle mir.«

Der Jüngling begann: »Ein Vogel hat mich hergebracht. In meinem Lande war ein Erdbeben, da wollten wir unsre Toten bestatten, und keine Blumen waren da.«

»Keine Blumen?« sagte der König.

»Nein, gar keine Blumen mehr. Und nicht wahr, es ist doch schlimm, wenn man einen Toten bestatten soll und kann ihm kein Blumenfest feiern; denn er soll doch in Pracht und Freuden zu seiner Verwandlung eingehen.«

Da fiel dem Boten plötzlich ein, wie viele noch nicht bestattete Tote draußen auf dem schrecklichen Felde lagen, und er hielt inne, und der König sah ihn an und nickte und seufzte schwer.

»Ich wollte zu unserm König gehen und ihn um viele Blumen bitten«, fuhr der Bote fort, »aber als ich im Tempel auf dem Gebirge war, da kam der große Vogel und sagte, er wolle mich zum König bringen, und er brachte mich durch die Lüfte zu dir. Oh, lieber König, es war der Tempel einer unbekannten Gottheit, auf dessen Dach der Vogel saß, und ein höchst seltsames Sinnbild hatte dieser Gott auf seinem Steine stehen: ein Herz, und an dem Herzen fraß ein wilder Vogel. Mit jenem großen Vogel aber hatte ich in der Nacht ein Gespräch, und erst jetzt kann ich seine Worte verstehen, denn er sagte, es gebe viel, viel mehr Leid und Schlimmes in der Welt, als ich wüßte. Und nun bin ich hier und bin über das große Feld her gekommen und habe in diesen Stunden unendliches Leid und Unglück gesehen, ach, viel mehr, als in unsren grausigsten Märchen steht. Da bin ich zu dir gekommen, o

König, und ich möchte dich fragen, ob ich dir irgendeinen Dienst erweisen kann.«

Der König, welcher aufmerksam zugehört hatte, versuchte zu lächeln, aber sein schönes Gesicht war so ernst und so bitter traurig, daß er nicht lächeln konnte.

»Ich danke dir«, sagte er, »du kannst mir keinen Dienst erweisen. Du hast mich an meine Mutter erinnert, dafür danke ich dir.«

Der Jüngling war betrübt darüber, daß der König nicht lächeln konnte. »Du bist so traurig«, sagte er zu ihm, »ist das wegen dieses Krieges?«

»Ja«, sagte der König.

Der Jüngling konnte sich nicht enthalten, diesem tief bedrückten und doch, wie er spürte, edlen Menschen gegenüber eine Regel der Höflichkeit zu verletzen, indem er ihn fragte: »Aber sage mir, ich bitte darum, warum ihr denn auf eurem Sterne solche Kriege führt? Wer hat denn Schuld daran? Hast du selbst eine Schuld daran?«

Der König starrte lange auf den Boten, er schien über die Dreistigkeit seiner Frage unwillig. Doch vermochte er nicht, seinen finstern Blick lange in dem hellen und arglosen Blick des Fremden zu spiegeln.

»Du bist ein Kind«, sagte der König, »und das sind Dinge, die du nicht verstehen könntest. Der Krieg ist niemandes Schuld, er kommt von selber wie Sturm und Blitz, und wir alle, die ihn kämpfen müssen, wir sind nicht seine Anstifter, wir sind nur seine Opfer.«

»Dann sterbet ihr wohl sehr leicht?« fragte der Jüngling. »Bei uns in meiner Heimat ist zwar der Tod nicht eben sehr gefürchtet, und die meisten gehen willig und viele gehen freudig zur Verwandlung ein: doch würde niemals ein Mensch es wagen, einen andern zu töten. Auf eurem Stern muß das anders sein.«

Der König schüttelte den Kopf. »Bei uns wird zwar nicht selten getötet«, sagte er, »doch sehen wir das als das schwerste Verbrechen an. Einzig im Kriege ist es erlaubt, weil im Kriege keiner aus Haß oder Neid zum eignen Vorteil tötet, sondern alle nur das tun, was die Gemeinschaft von ihnen verlangt. Aber es ist ein Irrtum, wenn du glaubst, sie stürben leicht. Wenn du in die Gesichter unsrer Toten schaust, kannst du es sehen. Sie sterben schwer, sie sterben schwer und widerwillig.«

Der Jüngling hörte dies alles an und erstaunte über die Traurigkeit und Schwere des Lebens, das auf diesem Stern die Menschen zu führen schienen. Viele Fragen hätte er noch stellen mögen, aber er fühlte deutlich voraus, daß er den ganzen Zusammenhang dieser dunklen und schrecklichen Dinge nie begreifen würde, ja er fühlte in sich auch nicht den vollen Willen, sie zu verstehen. Entweder waren diese Beklagenswerten Wesen einer niedern Ordnung, waren noch ohne die lichten Götter und wurden von Dämonen regiert, oder aber, es war auf diesem Sterne ein eignes Mißgeschick, ein Fehler und Irrtum waltend. Und es schien ihm allzu peinlich und grausam, diesen König weiter auszufragen und ihn zu Antworten und Bekenntnissen zu nötigen, deren jedes nur bitter und demütigend sein konnte. Diese Menschen, welche in dunkler Bangigkeit vor dem Tode lebten und dennoch einander in Menge erschlugen, diese Menschen, deren Gesichter einer so würdelosen Roheit fähig waren wie das des Bauern, und einer so tiefen und furchtbaren Trauer wie das des Königs, sie taten ihm leid und schienen ihm doch sonderbar und beinahe lächerlich, auf eine betrübende und beschämende Art lächerlich und töricht.

Aber eine Frage konnte er dennoch nicht unterdrükken. Wenn diese armen Wesen hier Zurückgebliebene waren, verspätete Kinder, Söhne eines späten friedlosen Sternes, wenn das Leben dieser Menschen so als ein zuckender Krampf verlief und in verzweifelten Totschlägen endete, wenn sie ihre Toten auf den Feldern liegen ließen, ja sie vielleicht auffraßen – denn auch davon war in einigen jener Schreckensmärchen aus der Vorzeit die Rede – so mußte doch immerhin eine Ahnung der Zukunft, ein Traum von den Göttern, etwas wie ein Keim von Seele in ihnen vorhanden sein. Sonst wäre diese ganze unschöne Welt ja nur ein Irrtum und ohne Sinn gewesen.

»Verzeihe, König«, sagte der Jüngling mit schmeichelnder Stimme, »verzeihe, wenn ich noch eine Frage an dich richte, ehe ich dein merkwürdiges Land wieder verlasse.«

»Frage nur!« lud der König ein, dem es mit diesem Fremden sonderbar erging; denn er erschien ihm in vielen Dingen wie ein feiner, reifer und unübersehbar geweiteter Geist, in andern aber wie ein kleines Kind, das man schonen muß und nicht ganz ernst nimmt.

»Du fremder König«, war nun des Boten Rede, »du hast mich traurig gemacht. Sieh, ich komme aus einem andern Lande, und der große Vogel auf dem Dache des Tempels hat recht gehabt: es gibt hier bei euch unendlich viel mehr Jammer, als ich mir hätte erdenken können. Ein Traum der Angst scheint euer Leben zu sein, und ich weiß nicht, ob ihr von Göttern oder Dämonen regiert werdet. Sieh, König, bei uns ist eine Sage, und ich habe sie früher für Märchenwust und leeren Rauch gehalten, es ist eine Sage, daß einstmals auch bei uns solche Dinge bekannt gewesen seien wie Krieg und Mord und Verzweiflung. Diese schaudervollen Worte, welche unsre Sprache seit langem nicht mehr kennt, lesen wir in den alten Märchenbüchern, und sie klingen uns grausig und auch ein wenig lächerlich. Heute habe ich gelernt, daß dies alles Wirklichkeit ist, und ich sehe dich und die Deinigen das tun und erleiden, was ich nur aus den schrecklichen Sagen der Vorzeit gekannt hatte. Aber nun sage mir: Habt ihr nicht in eurer Seele eine Ahnung, daß ihr nicht das Richtige tuet? Habt ihr nicht eine Sehnsucht nach hellen, heitern Göttern, nach verständigen und fröhlichen Führern und Lenkern? Träumet ihr niemals im Schlaf von einem andern und schönern Leben, wo keiner will, was nicht alle wollen, wo Vernunft und Ordnung herrscht, wo die Menschen einander nicht anders begegnen als mit Heiterkeit und Schonung? Habt ihr niemals den Gedanken gedacht, es möchte die Welt ein Ganzes sein, und es möchte beglückend und heilend sein, das Ganze ahnend zu verehren und ihm in Liebe zu dienen? Wißt ihr nichts von dem, was wir bei uns Musik nennen, und Gottesdienst, und Seligkeit?«

Der König hatte beim Anhören dieser Worte sein Haupt gesenkt. Als er es nun erhob, da war sein Gesicht verwandelt und mit einem Schimmer von Lächeln umglänzt, obwohl ihm Tränen in den Augen standen.

»Schöner Knabe«, sagte der König, »ich weiß nicht recht, ob du ein Kind oder ein Weiser oder vielleicht eine Gottheit bist. Aber ich kann dir Antwort geben, daß wir das alles kennen und in der Seele tragen, wovon du sprachest. Wir ahnen Glück, wir ahnen Freiheit, wir ahnen Götter. Wir haben eine Sage von einem Weisen der Vorzeit, er habe die Einheit der Welt als einen harmonischen Zusammenklang der Himmelsräume vernommen. Genügt dir dies? Sieh, vielleicht bist du ein Seliger aus dem Jenseits, aber du magst

Gott selber sein, so ist doch in deinem Herzen kein Glück, keine Macht, kein Wille, davon nicht eine Ahnung und ein Widerschein und ferner Schatten auch in unsern Herzen lebte.«

Und plötzlich richtete er sich in die Höhe, und der Jüngling stand überrascht, denn einen Augenblick war des Königs Gesicht in ein helles, schattenloses Lächeln getaucht wie in Morgenschein.

»Geh nun«, rief er dem Boten zu, »geh und laß uns kriegen und morden! Du hast mir das Herz weich gemacht, du hast mich an meine Mutter erinnert. Genug, genug davon, du lieber hübscher Knabe. Geh nun und fliehe, ehe die neue Schlacht beginnt! Ich werde an dich denken, wenn das Blut fließt und die Städte brennen, und ich werde daran denken, daß die Welt ein Ganzes ist, davon unsre Torheit und unser Zorn und unsre Wildheit uns doch nicht abtrennen kann. Leb wohl, und grüße mir deinen Stern, und grüße mir jene Gottheit, deren Sinnbild ein Herz ist, daran der Vogel frißt! Ich kenne dies Herz und kenne den Vogel wohl. Und merke dir, mein hübscher Freund aus der Ferne: Wenn du an deinen Freund, an den armen König im Kriege denkst, so denke nicht an ihn, wie er auf dem Lager saß und in Trauer versunken war, sondern denke an ihn, wie er mit den Tränen im Auge und mit dem Blut an den Händen gelächelt hat!«

Der König hob das Zelttuch, ohne den Diener zu wecken, mit eigener Hand und ließ den Fremden hinaustreten. In neuen Gedanken schritt der Jüngling über die Ebene zurück, und sah im Abendschein am Rande des Himmels eine große Stadt in Flammen stehen, und stieg über tote Menschen und zerfallende Leichen von Pferden hinweg, bis es dunkel ward und er den Rand des Waldgebirges erreichte.

Da senkte sich auch schon der große Vogel aus den Wolken herab, er nahm ihn auf seine Flügel, und sie flogen durch die Nacht zurück, lautlos und weich wie Eulenflug.

Als der Jüngling aus einem unruhigen Schlaf erwachte, lag er in dem kleinen Tempel im Gebirge, und vor dem Tempel stand im feuchten Grase sein Pferd und wieherte dem Tage entgegen. Von dem großen Vogel aber und von seiner Reise nach einem fremden Stern, von dem König und von dem Schlachtfeld wußte er nichts mehr. Es war nur ein Schatten in seiner Seele geblieben, ein kleiner verborgener Schmerz wie ein feiner Dorn, so wie hilfloses Mitleid schmerzt, und ein kleiner, unbefriedigter Wunsch, wie er in Träumen uns quälen kann, bis wir endlich dem begegnen, dem Liebe zu erzeigen, dessen Freude zu teilen, dessen Lächeln zu sehen unser heimliches Verlangen war.

Der Bote stieg zu Pferde und ritt den ganzen Tag und kam in die Hauptstadt zu seinem Könige, und es zeigte sich, daß er der rechte Bote gewesen war. Denn der König empfing ihn mit dem Gruß der Gnade, indem er seine Stirn berührte und ihm zurief: »Deine Augen haben zu meinem Herzen gesprochen, und mein Herz hat ja gesagt. Deine Bitte hat sich erfüllt, noch ehe ich sie angehört habe.«

Alsbald erhielt der Bote einen Freibrief des Königs, daß ihm alle Blumen des ganzen Landes, deren er bedürfte, zu Gebote ständen, und Begleiter und Boten und Diener zogen mit, und Pferde und Wagen schlossen sich ihnen an, und als er, das Gebirge umgehend, nach wenigen Tagen auf der ebenen Landstraße in seine Provinz und seine Gemeinde heimkehrte, da führte er Wagen und Karren und Körbe, Pferde und Maultiere mit sich, und alles war beladen mit den schönsten Blumen aus Gärten und aus Treibhäusern, deren es im Norden viele gab, und es waren ihrer genug vorhanden, sowohl um die Körper der Toten zu bekränzen und ihre Grabstätten reichlich zu schmücken, wie auch um für eines jeden Toten Andenken eine Blume, einen Strauch und einen jungen Fruchtbaum zu pflanzen, wie es die Sitte erfordert. Und der Schmerz um seinen Freund und sein Lieblingspferd wich von ihm und sank im stillen heitern Angedenken unter, nachdem er auch sie geschmückt und begraben und über ihren Stätten zwei Blumen, zwei Büsche und zwei Fruchtbäume gepflanzt hatte.

Nachdem er so seinem Herzen Genüge getan und seine Pflichten erfüllt hatte, begann die Erinnerung an die Reise in jener Nacht sich in seiner Seele zu rühren, und er bat seine Nächsten um einen Tag der Einsamkeit und saß unter dem Gedankenbaum einen Tag und eine Nacht, und breitete die Bilder dessen, was er auf dem fremden Stern gesehen, rein und faltenlos in seinem Gedächtnis aus. Darauf trat er eines Tages zum Ältesten, bat ihn um ein geheimes Gespräch und erzählte ihm alles.

Der Älteste hörte zu, blieb in Gedanken sitzen und fragte dann: »Hast du, mein Freund, nun dieses alles mit deinen Augen gesehen, oder ist es ein Traum gewesen?«

»Ich weiß es nicht«, sagte der Jüngling. »Ich glaube wohl, daß es ein Traum gewesen sein mag. Indessen, mit deiner Erlaubnis sei es gesagt, es scheint mir kaum einen Unterschied zu bedeuten, sollte die Sache nun auch meinen Sinnen in aller Wirklichkeit begegnet sein. Es ist ein Schatten von Traurigkeit in mir geblieben, und mitten in das Glück des Lebens weht mir von jenem Sterne her ein kühler Wind hinein. Darum frage ich dich, Verehrter, was ich tun soll.«

»Gehe morgen«, sprach der Älteste, »nochmals in das Gebirge und an jenen Ort hinauf, wo du den Tempel gefunden hast. Seltsam scheint mir das Sinnbild jenes Gottes, von dem ich nie gehört habe, und es mag wohl sein, daß es ein Gott von einem andern Sterne ist. Oder aber ist jener Tempel und sein Gott vielleicht so alt, daß er von unsern frühesten Vorfahren stammt und aus den fernen Zeiten, da es unter uns noch Waffen, Furcht und Todesangst gegeben haben soll. Gehe du zu jenem Tempel, Lieber, und dort bringe Blumen, Honig und Lieder dar.«

Der Jüngling dankte und gehorchte dem Rat des Ältesten. Er nahm eine Schale mit feinem Honig, wie man ihn im Frühsommer beim ersten Immenfest den Ehrengästen vorzusetzen pflegt, und nahm seine Laute mit. Im Gebirge fand er die Stelle wieder, wo er damals eine blaue Glockenblume gepflückt hatte, und fand den steilen Felsenpfad, der im Walde bergan führte und wo er kürzlich vor seinem Pferde her zu Fuß gegangen war. Die Stelle des Tempels aber und den Tempel selbst, den schwarzen Opferstein, die hölzernen Säulen, das Dach und den großen Vogel auf dem Dache konnte er nicht wieder finden, heute nicht und nicht am nächsten Tage, und niemand wußte ihm etwas von einem solchen Tempel, wie er ihn beschrieb, zu sagen.

Da kehrte er in seine Heimat zurück, und da er am Heiligtum des liebevollen Gedenkens vorüberkam, trat er hinein, brachte den Honig dar, sang sein Lied zur Laute und empfahl der Gottheit des liebevollen Gedenkens seinen Traum, den Tempel und den Vogel, den armen Bauern und die Toten auf dem Schlachtfelde, und am meisten den König in seinem Kriegszelte. Danach ging er mit erleichtertem Herzen in seine

Wohnung, hängte im Schlafzimmer das Sinnbild von der Einheit der Welten auf, ruhte in tiefem Schlafe von den Erlebnissen dieser Tage aus und begann am nächsten Morgen den Nachbarn zu helfen, welche in Gärten und Feldern unter Gesang die letzten Spuren des Erdbebens hinwegzutilgen bemüht waren.

DER SCHWERE WEG

Am Eingang der Schlucht, bei dem dunkeln Felsentor, stand ich zögernd und drehte mich zurückblickend um.

Sonne schien in dieser grünen wohligen Welt, über den Wiesen flimmerte wehend die bräunliche Grasblüte. Dort war gut sein, dort war Wärme und liebes Behagen, dort summte die Seele tief und befriedigt wie eine wollige Hummel im satten Duft und Lichte. Und vielleicht war ich ein Narr, daß ich das alles verlassen und ins Gebirge hinaufsteigen wollte.

Der Führer berührte mich sanft am Arm. Ich riß meine Blicke von der geliebten Landschaft los, wie man sich gewaltsam aus einem lauen Bade losmacht. Nun sah ich die Schlucht in sonnenloser Finsternis liegen, ein kleiner schwarzer Bach kroch aus der Spalte, bleiches Gras wuchs in kleinen Büscheln an seinem Rande, auf seinem Boden lag herabgespültes Gestein von allen Farben tot und blaß wie Knochen von Wesen, welche einst lebendig waren.

»Wir wollen rasten«, sagte ich zum Führer.

Er lächelte geduldig, und wir setzen uns nieder. Es war kühl, und aus dem Felsentore kam ein leiser Strom von finsterer, steinig kalter Luft geflossen.

Häßlich, häßlich, diesen Weg zu gehen! Häßlich, sich durch dies unfrohe Felsentor zu quälen, über diesen kalten Bach zu schreiten, diese schmale schroffe Kluft im Finstern hinanzuklettern!

»Der Weg sieht scheußlich aus«, sagte ich zögernd.

In mir flatterte wie ein sterbendes Lichtlein die heftige, ungläubige, unvernünftige Hoffnung, wir könnten vielleicht wieder umkehren, der Führer möchte sich noch überreden lassen, es möchte uns dies alles erspart bleiben. Ja, warum eigentlich nicht? War es dort, von wo wir kamen, nicht tausendmal schöner? Floß nicht dort das Leben reicher, wärmer, liebenswerter? Und war ich nicht ein Mensch, ein kindliches und kurzlebiges Wesen mit dem Recht auf ein bißchen Glück, auf ein Eckchen Sonne, auf ein Auge voll Blau und Blumen?

Nein, ich wollte dableiben. Ich hatte keine Lust, den Helden und Märtyrer zu spielen! Ich wollte mein Leben lang zufrieden sein, wenn ich im Tal und an der Sonne bleiben durfte.

Schon fing ich an zu frösteln; hier war kein langes Bleiben möglich.

»Du frierst«, sagte der Führer, »es ist besser, wir gehen.«

Damit stand er auf, reckte sich einen Augenblick zu seiner ganzen Höhe aus und sah mich mit Lächeln an. Es war weder Spott noch Mitleid in dem Lächeln, weder Härte noch Schonung. Es war nichts darin als Verständnis, nichts als Wissen. Dies Lächeln sagte: »Ich kenne dich. Ich kenne deine Angst, die du fühlst, und habe deine Großsprecherei von gestern und vorgestern keineswegs vergessen. Jeder verzweifelte Hasensprung der Feigheit, den deine Seele jetzt tut, und jedes Liebäugeln mit dem lieben Sonnenschein da drüben ist mir bekannt und vertraut, noch ehe du's ausführst.«

Mit diesem Lächeln sah mich der Führer an und tat den ersten Schritt ins dunkle Felsental voraus, und ich haßte ihn und liebte ihn, wie ein Verurteilter das Beil über seinem Nacken haßt und liebt. Vor allem aber haßte und verachtete ich sein Wissen, seine Führerschaft und Kühle, seinen Mangel an lieblichen Schwächen, und haßte alles das in mir selber, was ihm recht gab, was ihn billigte, was seinesgleichen war und ihm folgen wollte.

Schon war er mehrere Schritte weit gegangen, auf Steinen durch den schwarzen Bach, und war eben im Begriff, mir um die erste Felsenecke zu entschwinden.

»Halt!« rief ich so voller Angst, daß ich zugleich denken mußte: Wenn das hier ein Traum wäre, dann würde ihn in diesem Augenblick mein Entsetzen zersprengen, und ich würde aufwachen. »Halt«, rief ich, »ich kann nicht, ich bin noch nicht bereit.«

Der Führer blieb stehen und blickte still herüber, ohne Vorwurf, aber mit diesem seinem furchtbaren Verstehen, mit diesem schwer zu ertragenden Wissen, Ahnen, Schon-im-voraus-verstanden-haben.

»Wollen wir lieber umkehren?« fragte er, und er hatte noch das letzte Wort nicht ausgesprochen, da wußte ich schon voll Widerwillen, daß ich »nein« sagen würde, nein würde sagen müssen. Und zugleich rief alles Alte, Gewohnte, Liebe, Vertraute in mir verzweiflungsvoll: »Sag ja, sag ja«, und es hängte sich die ganze Welt und Heimat wie eine Kugel an meine Füße.

Ich wollte »ja« rufen, obschon ich genau wußte, daß ich es nicht würde tun können.

Da wies der Führer mit der ausgestreckten Hand in das Tal zurück, und ich wandte mich nochmals nach den geliebten Gegenden um. Und jetzt sah ich das Peinvollste, was mir begegnen konnte: ich sah die geliebten Täler und Ebenen unter einer weißen entkräfteten Sonne fahl und lustlos liegen, die Farben klangen falsch und schrill zusammen, die Schatten waren rußig schwarz und ohne Zauber, und allem, allem war das Herz herausgeschnitten, war der Reiz und Duft genommen — alles roch und schmeckte nach Dingen, an denen man sich längst bis zum Ekel übergessen hat. Oh, wie ich das kannte, wie ich das fürchtete und haßte, diese schreckliche Art des Führers, mir das Geliebte und Angenehme zu entwerten, den Saft und Geist daraus weglaufen zu lassen, Düfte zu verfälschen und Farben leise zu vergiften! Ach, ich kannte das: was gestern noch Wein gewesen war, war heut' Essig. Und nie wieder wurde der Essig zu Wein. Nie wieder.

Ich schwieg und folgte traurig dem Führer nach. Er hatte ja recht, jetzt wie immer. Gut, wenn er wenigstens bei mir und sichtbar blieb, statt — wie so oft — im Augenblick einer Entscheidung plötzlich zu verschwinden und mich allein zu lassen — allein mit jener fremden Stimme in meiner Brust, in die er sich dann verwandelt hatte.

Ich schwieg, aber mein Herz rief inbrünstig: »Bleib nur, ich folge ja!«

Die Steine im Bach waren von einer scheußlichen Schlüpfrigkeit, es war ermüdend und schwindelerregend, so zu gehen, Fuß für Fuß auf schmalem, nassem Stein, der sich unter der Sohle klein machte und auswich. Dabei begann der Bachpfad rasch zu steigen, und die finsteren Felsenwände traten näher zusammen, sie schwollen mürrisch an, und jede ihrer Ecken zeigte die tückische Absicht, uns einzuklemmen und für immer vom Rückweg abzuschneiden. Über warzige gelbe Felsen rann zäh und schleimig eine Haut von Wasser. Kein Himmel, nicht Wolke noch Blau mehr über uns.

Ich ging und ging, dem Führer nach, und schloß oft vor Angst und Widerwillen die Augen. Da stand eine dunkle Blume am Weg, sammetschwarz mit traurigem Blick. Sie war schön und sprach vertraut zu mir, aber der Führer ging rascher, und ich fühlte: Wenn ich einen

Augenblick verweilte, wenn ich noch einen einzigen Blick in dies traurige Sammetauge senkte, dann würde die Betrübtheit und hoffnungslose Schwermut allzu schwer und würde unerträglich, und mein Geist würde alsdann immer in diesen höhnischen Bezirk der Sinnlosigkeit und des Wahns gebannt bleiben.

Naß und schmutzig kroch ich weiter, und als die feuchten Wände sich näher über uns zusammenklemmten, da fing der Führer sein altes Trostlied an zu singen. Mit seiner hellen, festen Jünglingsstimme sang er bei jedem Schritt im Takt die Worte: »Ich will, ich will, ich will!« Ich wußte wohl, er wollte mich ermutigen und anspornen, er wollte mich über die häßliche Mühsal und Trostlosigkeit dieser Höllenwanderung hinwegtäuschen. Ich wußte, er wartete darauf, daß ich mit in seinen Singsang einstimme. Aber dies wollte ich nicht, diesen Sieg wollte ich ihm nicht gönnen. War mir denn zum Singen zumute? Und war ich nicht ein Mensch, ein armer einfacher Kerl, der da wider sein Herz in Dinge und Taten hineingezerrt wurde, die Gott nicht von ihm verlangen konnte? Durfte nicht jede Nelke und jedes Vergißmeinnicht am Bach bleiben, wo es war, und blühen und verwelken, wie es in seiner Art lag?

»Ich will, ich will, ich will«, sang der Führer unentwegt. Oh, wenn ich hätte umkehren können! Aber ich war, mit des Führers wunderbarer Hilfe, längst über Wände und Abstürze geklettert, über die es keinen, keinen Rückweg gab. Das Weinen würgte mich von innen, aber weinen durfte ich nicht, dies am allerwenigsten. Und so stimmte ich trotzig und laut in den Sang des Führers ein, im gleichen Takt und Ton, aber ich sang nicht seine Worte mit, sondern immerzu: »Ich muß, ich muß, ich muß!« Allein es war nicht leicht, so im Steigen zu singen, ich verlor bald den Atem und mußte keuchend schweigen. Er aber sang unermüdet fort: »Ich will, ich will, ich will«, und mit der Zeit bezwang er mich doch, daß auch ich seine Worte mitsang. Nun ging das Steigen besser, und ich mußte nicht mehr, sondern wollte in der Tat, und von einer Ermüdung durch das Singen war nichts mehr zu spüren.

Da wurde es heller in mir, und wie es heller in mir wurde, wich auch der glatte Fels zurück, ward trockener, ward gütiger, half oft dem gleitenden Fuß, und über uns trat mehr und mehr der hellblaue Himmel hervor, wie ein kleiner blauer Bach zwischen den Steinufern, und bald wie ein blauer kleiner See, der wuchs und Breite gewann.

Ich versuchte es, stärker und inniger zu wollen, und der Himmelssee wuchs weiter, und der Pfad wurde gangbarer, ja ich lief zuweilen eine ganze Strecke leicht und beschwerdelos neben dem Führer her. Und unerwartet sah ich den Gipfel nahe über uns, steil und gleißend in durchglühter Sonnenluft.

Wenig unterhalb des Gipfels entkrochen wir dem engen Spalt, Sonne drang in meine geblendeten Augen, und als ich sie wieder öffnete, zitterten mir die Knie vor Beklemmung, denn ich sah mich frei und ohne Halt an den steilen Grat gestellt, ringsum unendlichen Himmelsraum und blaue bange Tiefe, nur der schmale Gipfel dünn wie eine Leiter vor uns ragend. Aber es war wieder Himmel und Sonne da, und so stiegen wir auch die letzte beklemmende Steile empor, Fuß vor Fuß mit zusammengepreßten Lippen und gefalteten Stirnen. Und standen oben, schmal auf durchglühtem Stein, in einer strengen, spöttisch dünnen Luft.

Das war ein sonderbarer Berg und ein sonderbarer Gipfel! Auf diesem Gipfel, den wir über so unendliche nackte Steinwände erklommen hatten, auf diesem Gipfel wuchs aus dem Steine ein Baum, ein kleiner, gedrungener Baum mit einigen kurzen, kräftigen Ästen. Da stand er, unausdenklich einsam und seltsam, hart und starr im Fels, das kühle Himmelsblau zwischen seinen Ästen. Und zuoberst im Baume saß ein schwarzer Vogel und sang ein rauhes Lied.

Stiller Traum einer kurzen Rast, hoch über der Welt: Sonne lohte, Fels glühte, Raum starrte streng, Vogel sang rauh. Sein rauhes Lied hieß: Ewigkeit, Ewigkeit! Der schwarze Vogel sang, und sein blankes hartes Auge sah uns an wie ein schwarzer Kristall. Schwer zu ertragen war sein Blick, schwer zu ertragen war sein Gesang, und furchtbar war vor allem die Einsamkeit und Leere dieses Ortes, die schwindelnde Weite der öden Himmelsräume. Sterben war unausdenkbare Wonne, Hierbleiben namenlose Pein. Es mußte etwas geschehen, sofort, augenblicklich, sonst versteinerten wir und die Welt vor Grauen. Ich fühlte das Geschehnis drükken und glühend einherhauchen wie den Windstoß vor einem Gewitter. Ich fühlte es mir über Leib und Seele flattern wie ein brennendes Fieber. Es drohte, es kam, es war da.

—— Es schwang sich der Vogel jäh vom Ast, warf sich stürzend in den Weltraum.

Es tat mein Führer einen Sprung und Sturz ins Blaue, fiel in den zuckenden Himmel, flog davon.

Jetzt war die Welle des Schicksals auf der Höhe, jetzt riß sie mein Herz davon, jetzt brach sie lautlos auseinander.

Und ich fiel schon, ich stürzte, sprang, ich flog; in kalte Luftwirbel geschnürt schoß ich selig und vor Qual der Wonne zuckend durchs Unendliche hinabwärts, an die Brust der Mutter.

EINE TRAUMFOLGE

Mir schien, ich verweile schon eine Menge von unnützer dickflüssiger Zeit in dem lauen Salon, durch dessen Nordfenster der falsche See mit den unechten Fjorden blickte und wo nichts mich hielt und anzog als die Gegenwart der schönen, verdächtigen Dame, die ich für eine Sünderin hielt. Ihr Gesicht einmal richtig zu sehen, war mein unerfülltes Verlangen. Ihr Gesicht schwebte undeutlich zwischen dunklen, offenen Haaren und bestand einzig aus süßer Blässe, sonst war nichts vorhanden. Vielleicht waren die Augen dunkelbraun, ich fühlte Gründe in mir, das zu erwarten, aber dann paßten die Augen nicht zu dem Gesicht, das mein Blick aus der unbestimmten Blässe zu lesen wünschte und dessen Gestaltung ich bei mir in tiefen, unzugänglichen Erinnerungsschichten ruhen wußte.

Endlich geschah etwas. Die beiden jungen Männer traten ein. Sie begrüßten die Dame mit sehr guten Formen und wurden mir vorgestellt. Affen, dachte ich und zürnte mir selber, weil des einen rotbrauner Rock mit seinem hübsch koketten Sitz und Schnitt mich beschämte und neidisch machte. Scheußliches Gefühl des Neides gegen die Tadellosen, Ungenierten, Lächelnden! »Beherrsche dich!« rief ich mir leise zu. Die beiden jungen Leute griffen gleichgültig nach meiner dargereichten Hand – warum hatte ich sie hingeboten?! – und machten spöttische Gesichter.

Da spürte ich, daß etwas an mir nicht in Ordnung sei, und fühlte lästige Kälte an mir aufsteigen. Hinunterblickend sah ich mit Erbleichen, daß ich ohne Schuhe in bloßen Strümpfen stand. Immer wieder diese öden, kläglichen, dürftigen Hindernisse und Widerstände! Andern passierte es nie, daß sie nackt oder halbnackt in Salons vor dem Volk der Tadellosen und Unerbittlichen standen! Traurig suchte ich den linken Fuß wenigstens mit dem rechten zu decken, dabei fiel mein Blick durchs Fenster, und ich sah die steilen Seeufer blau und wild in falschen düsteren Tönen drohen, sie wollten dämonisch sein. Betrübt und hilfsbedürftig blickte ich die Fremden an, voll Haß gegen diese Leute und voll von größerem Haß gegen mich — es war nichts mit mir, es glückte mir nichts. Und warum fühlte ich mich für den dummen See verantwortlich? Ja, wenn ich es fühlte, dann war ich's auch. Flehentlich sah ich dem Rotbraunen ins Gesicht, seine Wangen glänzten gesund und zart gepflegt, und wußte doch so gut, daß ich mich unnütz preisgebe, daß er nicht zu rühren sei.

Eben jetzt bemerkte er meine Füße in den groben dunkelgrünen Strümpfen — ach, ich mußte noch froh sein, daß sie ohne Löcher waren — und lächelte häßlich. Er stieß seinen Kameraden an und zeigte auf meine Füße. Auch der andre grinste voller Spott.

»Sehen Sie doch den See!« rief ich und deutete durchs Fenster.

Der Rotbraune zuckte die Achseln, es fiel ihm nicht ein, sich nur gegen das Fenster zu wenden, und sagte zum andern etwas, das ich nur halb verstand, das aber auf mich gemünzt war und von Kerlen in Strümpfen handelte, die man in einem solchen Salon gar nicht dulden sollte. Dabei war »Salon« für mich wieder so etwas wie in Bubenjahren, mit einem etwas schönen und etwas falschen Klang von Vornehmheit und Welt.

Nahe am Weinen bückte ich mich zu meinen Füßen hinab, ob da etwas zu bessern sei, und sah jetzt, daß ich aus weiten Hausschuhen geglitten war; wenigstens lag ein sehr großer, weicher, dunkelroter Pantoffel hinter mir am Boden. Ich nahm ihn unschlüssig in die Hand, beim Absatz packend, noch ganz weinerlich. Er entglitt mir, ich erwischte ihn noch im Fallen – er war inzwischen noch größer geworden – und hielt ihn nun am vorderen Ende.

Dabei fühlte ich plötzlich, innig erlöst, den tiefen Wert des Pantoffels, der in meiner Hand ein wenig federte, vom schweren Absatz hinabgezogen. Herrlich, so ein roter schlapper Schuh, so weich und schwer! Versuchsweise schwang ich ihn ein wenig durch die Luft, es war köstlich und durchfloß mich mit Wonnen bis in die Haare. Eine Keule, ein Gummischlauch war nichts gegen meinen großen Schuh. Calziglione nannte ich ihn auf italienisch.

Als ich dem Rotbraunen einen ersten spielerischen Schlag mit dem Calziglione an den Kopf gab, sank der junge Tadellose schon taumelnd auf den Diwan, und die andern und das Zimmer und der schreckliche See verloren alle Macht über mich. Ich war groß und stark, ich war frei, und beim zweiten Schlag auf den Kopf des Rotbraunen war schon nichts mehr von Kampf, nichts mehr von schäbiger Notwehr in meinem Zuhauen, sondern lauter Jauchzen und befreite Herrenlaune. Auch haßte ich den erlegten Feind nicht im mindesten mehr, er war mir interessant, er war mir wertvoll und lieb, ich war ja sein Herr und sein Schöpfer. Denn jeder gute Schlag mit meiner welschen Schuhkeule formte diesen unreifen und affigen Kopf, schmiedete ihn, baute ihn, dichtete ihn, mit jedem formenden Hieb ward er angenehmer, wurde hübscher, feiner, wurde mein Geschöpf und Werk, das mich befriedigte und das ich liebte. Mit einem letzten zärtlichen Schmiedehieb trieb ich ihm den spitzen Hinterkopf gerade hinlänglich nach innen. Er war vollendet. Er dankte mir und streichelte mir die Hand. »Schon gut«, winkte ich. Er kreuzte die Hände vor der Brust und sagte schüchtern: »Ich heiße Paul.«

Wundervoll machtfrohe Gefühle dehnten meine Brust und dehnten den Raum von mir hinweg, das Zimmer – nichts mehr von »Salon«! – wich beschämt davon und verkroch sich nichtig; ich stand am See. Der See war schwarzblau, Stahlwolken drückten auf die finsteren Berge, in den Fjorden kochte dunkles Wasser schaumig auf, Föhnstöße irrten zwanghaft und ängstlich in Kreisen. Ich blickte empor und reckte die Hand aus zum Zeichen, daß der Sturm beginnen möge. Ein Blitz knallte hell und kalt aus der harten Bläue, senkrecht herab heulte ein warmer Orkan, am Himmel schoß graues Formengetümmel zerfließend in Marmoradern auseinander. Große runde Wogen stiegen angstvoll aus dem gepeitschten See, von ihren Rücken riß der Sturm Schaumbärte und klatschende Wasserfetzen und warf sie mir ins Gesicht. Die schwarz erstarrten Berge rissen Augen voll Entsetzen auf. Ihr Aneinanderkauern und Schweigen klang flehentlich.

In dem prachtvoll auf Gespenster-Riesenpferden jagenden Sturm klang neben mir eine schüchterne Stimme. Oh, ich hatte dich nicht vergessen, bleiche Frau im langschwarzen Haar. Ich neigte mich zu ihr, sie sprach kindlich – der See komme, man könne hier nicht sein. Noch schaute ich gerührt auf die sanfte Sünderin, ihr Gesicht war nichts als stille Blässe in breiter Haardämmerung, da schlug schon klatschendes Gewoge an meine Knie und schon an meine Brust, und die Sünderin schwankte wehrlos und still auf steigenden Wellen. Ich lachte ein wenig, legte den Arm um ihre Knie und hob sie zu mir empor. Auch dies war schön und befreiend, die Frau war seltsam leicht und klein, voll frischer Wärme und die Augen herzlich, vertrauensvoll und erschrocken, und ich sah, sie war gar keine Sünderin und keine ferne unklare Dame. Keine Sünden, kein Geheimnis; sie war einfach ein Kind.

Aus den Wellen trug ich sie über Felsen und durch den regenfinsteren, königlich trauernden Park, wohin der Sturm nicht reichte und wo aus gesenkten Kronen alter Bäume lauter sanft-menschliche Schönheit sprach, lauter Gedichte und Symphonien, Welt der holden Ahnungen und lieblich gezähmten Genüsse, gemalte liebenswerte Bäume von Corot und ländlich-holde Holzbläsermusik von Schubert, die mich mit flüchtig aufzuckendem Heimweh mild in ihre geliebten Tempel lockte. Doch umsonst, viel Stimmen hat die Welt und für alles hat die Seele ihre Stunden und Augenblicke.

Weiß Gott, wie die Sünderin, die bleiche Frau, das Kind, ihren Abschied nahm und mir verlorenging. Es war eine Vortreppe aus Stein, es war ein Haustor, Dienerschaft war da, alles schwächlich und milchig wie hinter trübem Glase, und andres, noch wesenloser, noch trüber, Gestalten windhaft hingeweht, ein Ton von Tadel und Vorwurf gegen mich verleidete mir das Schattengestöber. Nichts blieb von ihm zurück als die Figur Paul, mein Freund und Sohn Paul, und in seinen Zügen zeigte und verbarg sich ein nicht mit Namen zu nennendes, dennoch unendlich wohlbekanntes Gesicht, ein Schulkameradengesicht, ein vorgeschichtlich sagenhaftes Kindermagdgesicht, genährt aus den guten nahrhaften Halberinnerungen fabelhafter erster Jahre.

Gutes, inniges Dunkel, warme Seelenwiege und verlorne Heimat tut sich auf, Zeit des ungestalteten Daseins, unentschlossene erste Wallung überm Quellgrund, unter dem die Ahnenvorzeit mit den Urwaldträumen schläft. Taste nur, Seele, irre nur, wühle blind im satten Bad schuldloser Dämmertriebe! Ich kenne dich, bange Seele, nichts ist dir notwendiger, nichts ist so sehr Speise, so sehr Trank und Schlaf für dich wie die Heimkehr zu deinen Anfängen. Da rauscht Welle um dich, und du bist Welle, Wald, und du bist Wald, es ist kein Außen und Innen mehr, du fliegst Vogel in Lüften, schwimmst Fisch im Meer, saugst Licht und bist Licht, kostest Dunkel und bist Dunkel. Wir wandern, Seele, wir schwimmen und fliegen, und lächeln und knüpfen mit zarten Geistfingern die zerrissenen Fäden wieder an, tönen selig die zerstörten Schwingungen aus. Wir suchen Gott nicht mehr. Wir sind Gott. Wir sind die Welt. Wir töten und sterben mit, wir schaffen und auferstehen mit unsern Träumen. Unser schönster Traum, der ist der blaue Himmel, unser schönster Traum, der ist das Meer, unser schönster Traum, der ist die sternhelle Nacht, und ist der Fisch, und ist der helle frohe Schall, und ist das helle frohe Licht – alles ist unser Traum, jedes ist unser schönster Traum. Eben sind wir gestorben und zu Erde geworden. Eben haben wir das Lachen erfunden. Eben haben wir ein Sternbild geordnet.

Stimmen tönen, und jede ist dic Stimme der Mutter. Bäume rauschen, und jeder hat über unsrer Wiege gerauscht. Straßen laufen in Sternform auseinander, und jede Straße ist der Heimweg.

Der, der sich Paul nannte, mein Geschöpf und Freund, war wieder da und war so alt wie ich geworden. Er glich einem Jugendfreunde, doch wußt' ich nicht welchem, und ich war darum gegen ihn etwas unsicher und zeigte einige Höflichkeit. Daraus zog er Macht. Die Welt gehorchte nicht mehr mir, sie gehorchte ihm, darum war alles vorige verschwunden und in demütiger Unwahrscheinlichkeit untergegangen, beschämt durch ihn, der nun regierte.

Wir waren auf einem Platz, der Ort hieß Paris, und vor mir stand ein eiserner Balken in die Höhe, der war eine Leiter und hatte zu beiden Seiten schmale eiserne Sprossen, an denen konnte man sich mit den Händen halten und mit den Füßen auf sie treten. Da Paul es wollte, kletterte ich hinan und er daneben auf einer ebensolchen Leiter. Als wir so hoch geklettert waren wie ein Haus und wie ein sehr hoher Baum, begann ich Bangigkeit zu fühlen. Ich sah zu Paul hinüber, der fühlte keine Bangigkeit, aber er erriet die meine und lächelte.

Einen Atemzug lang, während er lächelte und ich ihn ansah, war ich ganz nahe daran, sein Gesicht zu erkennen und seinen Namen zu wissen, eine Kluft von Vergangenheit riß auf und spaltete sich bis zur Schülerzeit hinab, zurück bis da, wo ich zwölfjährig war, herrlichste Zeit des Lebens, alles voll Duft, alles genial, alles mit einem eßbaren Duft von frischem Brot und mit einem berauschenden Schimmer von Abenteuer und Heldentum vergoldet — zwölfjährig war Jesus, als er im Tempel die Gelehrten beschämte, mit zwölf Jahren haben wir alle unsre Gelehrten und Lehrer beschämt, waren klüger als sie, genialer als sie, tapferer als sie. Anklänge und Bilder stürmten in Knäueln auf mich ein: vergessene Schulhefte, Arrest in der Mittagsstunde, ein mit der Schleuder getöteter Vogel, eine Rocktasche klebrig voll gestohlener Pflaumen, wildes Bubengeplätscher im Schwimmbad, zerrissene Sonntagshosen und innig schlechtes Gewissen, heißes Abendgebet um irdische Sorgen, wunderbar heldische Prachtgefühle bei einem Vers von Schiller. — —

Es war nur ein Sekundenblitz, gierig hastende Bilderfolge ohne Mittelpunkt, im nächsten Augenblick sah Pauls Gesicht mich wieder an, quälend halbbekannt. Ich war meines Alters nicht mehr sicher, möglich, daß wir Knaben waren. Tiefer und tiefer unter unsern dünnen Leitersprossen lag die Straßenmasse, welche Paris hieß. Als wir höher waren als jeder Turm, gingen unsre Eisenstangen zu Ende und zeigten sich jede mit einem waagrechten Brett gekrönt, einer winzig kleinen Plattform. Es schien unmöglich, sie zu erklimmen. Aber Paul tat es gelassen, und ich mußte auch.

Oben legte ich mich flach aufs Brett und sah über den Rand hinunter, wie von einer kleinen hohen Wolke. Mein Blick fiel wie ein Stein ins Leere hinab und kam an kein Ziel, da machte mein Kamerad eine deutende Gebärde, und ich blieb an einem wunderlichen Anblick haften, der mitten in den Lüften schwebte. Da sah ich, über einer breiten Straße in der Höhe der höchsten Dächer, aber noch unendlich tief unter uns, eine fremdartige Gesellschaft in der Luft, es schienen Seiltänzer zu sein, und wirklich lief eine der Figuren auf einem Seil oder einer Stange dahin. Dann entdeckte ich, daß es sehr viele waren und fast lauter junge Mädchen, und sie schienen mir Zigeuner oder wanderndes Volk zu sein. Sie gingen, lagerten, saßen, bewegten sich in Dachhöhe auf einem luftigen Gerüste aus dünnsten Latten und laubenähnlichem Gestänge, sie wohnten dort und waren heimisch in dieser Region.

Unter ihnen war die Straße zu ahnen, ein feiner schwebender Nebel reichte von unten her bis nahe an ihre Füße.

Paul sagte etwas darüber. »Ja«, antwortete ich, »es ist rührend, alle die Mädchen.«

Wohl war ich viel höher als jene, aber ich klebte angstvoll auf meinem Posten, sie indessen schwebten leicht und angstlos, und ich sah, ich war zu hoch, ich war am falschen Ort. Jene hatten die richtige Höhe, nicht am Boden und doch nicht so teuflisch hoch und fern wie ich, nicht unter den Leuten und doch nicht so ganz vereinsamt, außerdem waren sie viele. Ich sah wohl, daß sie eine Seligkeit darstellten, die ich noch nicht erreicht hatte.

Aber ich wußte, daß ich irgendeinmal wieder an meiner ungeheuren Leiter werde hinabklettern müssen, und der Gedanke daran war so beklemmend, daß ich Übelkeit spürte und es keinen Augenblick mehr hier oben aushalten konnte. Verzweiflungsvoll und zitternd vor Schwindel tastete ich mit den Füßen unter mir nach den Leitersprossen – sehen konnte ich sie vom Brett aus nicht – und hing grauenvolle Minuten, krampfhaft angeklammert, in der schlimmen Höhe. Niemand half mir, Paul war fort.

In tiefer Bangigkeit tat ich gefährliche Tritte und Griffe, und ein Gefühl hüllte mich wie Nebel ein, ein Gefühl, daß nicht die hohe Leiter und der Schwindel es waren, was ich auszukosten und durchzumachen habe. Alsbald verlor sich denn auch die Sichtbarkeit und Ähnlichkeit der Dinge, es war alles Nebel und unbestimmt. Bald hing ich noch in den Sprossen und spürte Schwindel, bald kroch ich klein und bang durch furchtbar enge Erdschachte und Kellergänge, bald watete ich hoffnungslos im Sumpf und Kot und fühlte wüsten Schlamm mir bis zum Munde steigen. Dunkel und Hemmung überall. Furchtbare Aufgaben mit ernstem, doch verhülltem Sinn. Angst und Schweiß, Lähmung und Kälte. Schweres Sterben, schweres Geborenwerden.

Wieviel Nacht ist um uns her! Wieviel bange, arge Qualenwege gehen wir, geht tief im Schacht unsre verschüttete Seele, ewiger armer Held, ewiger Odysseus! Aber wir gehen, wir gehen, wir bücken uns und waten, wir schwimmen erstickend im Schlamm, wir kriechen die glatten bösen Wände hinan. Wir weinen und verzagen, wir jammern bang und heulen leidend auf. Aber wir gehen weiter, wir gehen und leiden, wir gehen und beißen uns durch.

Wieder stellte aus dem trüben Höllenqualme Bildlichkeit sich her, wieder lag ein kleines Stück des finsteren Pfades vom gestaltenden Licht der Erinnerungen beschieden, und die Seele drang aus dem Urweltlichen in den heimatlichen Bezirk der Zeit.

Wo war das? Bekannte Dinge sahen mich an, ich atmete Luft, die ich wiedererkannte. Ein Zimmer, groß im Halbdunkel, eine Erdöllampe auf dem Tisch, meine eigne Lampe, ein großer runder Tisch, etwas wie ein Klavier. Meine Schwester war da und mein Schwager, vielleicht bei mir zu Besuch oder vielleicht ich bei ihnen. Sie waren still und sorgenvoll, voll Sorgen um mich. Und ich stand im großen und düsteren Zimmer, ging hin und her und stand und ging in einer Wolke von Traurigkeit, in einer Flut von bitterer, erstickender Traurigkeit. Und nun fing ich an, irgend etwas zu suchen, nichts Wichtiges, ein Buch oder eine Schere oder so etwas, und konnte es nicht finden. Ich nahm die Lampe in die Hand, sie war schwer, und ich war furchtbar müde, ich stellte sie bald wieder ab und nahm sie doch wieder, und wollte suchen, suchen, obwohl ich wußte, daß es vergeblich sei. Ich würde nichts finden, ich würde alles nur noch mehr verwirren, die Lampe würde mir aus den Händen fallen, sie war so schwer, so quälend schwer, und so würde ich weiter tasten und suchen und durchs Zimmer irren, mein ganzes armes Leben lang.

Mein Schwager sah mich an, ängstlich und etwas tadelnd. Sie merken, daß ich wahnsinnig werde, dachte ich schnell und nahm wieder die Lampe. Meine Schwester trat zu mir, still, mit bittenden Augen, voller Angst und Liebe, daß mir das Herz brechen wollte. Ich konnte nichts sagen, ich konnte nur die Hand ausstrecken und abwinken, abwehrend winken, und ich dachte: Laßt mich doch! Laßt mich doch! Ihr könnt ja nicht wissen, wie mir ist, wie weh mir ist, wie furchtbar weh! Und wieder: Laßt mich doch! Laßt mich doch!

Das rötliche Lampenlicht floß schwach durchs große Zimmer, Bäume stöhnten draußen im Wind. Einen Augenblick glaubte ich die Nacht draußen innerlichst zu sehen und zu fühlen: Wind und Nässe, Herbst, bitterer Laubgeruch, Blättergestiebe vom Ulmenbaum, Herbst, Herbst! Und wieder einen Augenblick lang war ich nicht ich selber, sondern sah mich wie ein Bild: ich war ein bleicher, hagerer Musiker mit flackernden Augen, der hieß Hugo Wolf und war an diesem Abend im Begriff, wahnsinnig zu werden.

Dazwischen mußte ich wieder suchen, hoffnungslos suchen und die schwere Lampe heben, auf den runden Tisch, auf den Sessel, auf einen Bücherstoß. Und mußte mit flehenden Gebärden abwehren, wenn meine Schwester mich wieder traurig und behutsam anblickte, mich trösten wollte, mir nahe sein und helfen wollte. Die Trauer in mir wuchs und füllte mich zum Zerspringen, und die Bilder um mich her waren von einer ergreifend beredten Deutlichkeit, viel deutlicher, als jede Wirklichkeit sonst ist; ein paar Herbstblumen im Wasserglas, eine dunkelrotbraune Georgine darunter, glühten in so schmerzlich schöner Einsamkeit, jedes Ding und auch der blinkende Messingfuß der Lampe war so verzaubert schön und von so schicksalsvoller Einsamkeit umdrungen wie auf den Bildern der großen Maler.

Ich spürte mein Schicksal deutlich. Noch ein Schatten mehr in diese Traurigkeit, noch ein Blick der Schwester, noch ein Blick der Blumen, der schönen seelenvollen Blumen – dann floß es über, und ich sank im Wahnsinn unter. »Laßt mich! Ihr wißt ja nicht!« Auf der polierten Wand des Klaviers lag ein Strahl Lampenlicht im schwärzlichen Holz gespiegelt, so schön, so geheimnisvoll, so gesättigt von Schwermut!

Jetzt erhob sich meine Schwester wieder, sie ging gegen das Klavier hinüber. Ich wollte bitten, wollte innig abwehren, aber ich konnte nicht, es reichte keinerlei Macht mehr aus meiner Vereinsamung heraus und zu ihr hinüber. Oh, ich wußte, was jetzt kommen mußte. Ich kannte die Melodie, die jetzt zu Wort kommen und alles sagen und alles zerstören mußte. Ungeheure Spannung zog mein Herz zusammen, und während die ersten glühenden Tropfen mir aus den Augen sprangen, stürzte ich mit Kopf und Händen über den Tisch hin und hörte und empfand mit allen Sinnen und mit neuen Sinnen dazu, Text und Melodie zugleich, Wolfsche Melodie, den Vers:

Was wisset ihr, dunkle Wipfel,
Von der alten schönen Zeit?
Die Heimat hinter den Gipfeln,
Wie liegt sie so weit, so weit!

Damit glitt vor mir und in mir die Welt auseinander, versank in Tränen und Tönen, nicht zu sagen wie hingegossen, wie strömend, wie gut und schmerzlich! O Weinen, o süßes Zusammenbrechen, seliges Schmelzen. Alle Bücher der Welt voll Gedanken und Gedichten sind nichts gegen eine Minute Schluchzen, wo Gefühl in Strömen wogt, Seele tief sich selber fühlt und findet. Tränen sind schmelzendes Seeleneis, dem Weinenden sind alle Engel nah.

Ich weinte mich, alle Anlässe und Gründe vergessend, von der Höhe unerträglicher Spannung in die milde Dämmerung alltäglicher Gefühle hinab, ohne Gedanken, ohne Zeugen. Dazwischen flatternde Bilder: ein Sarg, darin lag ein mir so lieber, so wichtiger Mensch, doch wußte ich nicht wer. Vielleicht du selber, dachte ich, da fiel ein andres Bild mir ein, aus großer zarter Ferne her. Hatte ich nicht einmal, vor Jahren oder in einem früheren Leben, ein wunderbares Bild gesehen: ein Volk von jungen Mädchen hoch in Lüften hausend, wolkig und schwerelos, schön und selig, leichtschwebend wie Luft und satt wie Streichmusik?

Jahre flogen dazwischen, drängten mich sanft und mächtig von dem Bilde weg. Ach, vielleicht hatte mein ganzes Leben nur den Sinn gehabt, diese holden schwebenden Mädchen zu sehen, zu ihnen zu kommen, ihresgleichen zu werden! Nun sanken sie fern dahin, unerreichbar, unverstanden, unerlöst, von verzweifelnder Sehnsucht müd umflattert.

Jahre fielen wie Schneeflocken herab, und die Welt war verändert. Betrübt wanderte ich einem kleinen Hause entgegen. Mir war recht elend zumut, und ein banges Gefühl im Munde hielt mich gefangen, ängstlich tastete ich mit der Zunge an einen zweifelhaften Zahn, da sank er schon schräg weg und war ausgefallen. Der nächste — auch er! Ein ganz junger Arzt war da, dem ich klagte, dem ich bittend einen Zahn mit den Fingern entgegenhielt. Er lachte leichtherzig, winkte mit fataler Berufsgebärde ab und schüttelte den jungen Kopf — das mache nichts, ganz harmlos, komme jeden Tag vor. Lieber Gott, dachte ich. Aber er fuhr fort und deutete auf mein linkes Knie: da sitze es, da sei hingegen nicht mehr zu spaßen. Furchtbar schnell griff ich ans Knie hinab — da war es! Da war ein Loch, in das ich den Finger legen konnte, und statt Haut und Fleisch nichts zu ertasten als eine gefühllose, weiche, lockere Masse, leicht und faserig wie welkes Pflanzengewebe. O mein Gott, das war der Verfall, das war Tod und Fäulnis! »Da ist nichts mehr zu machen?« fragte ich mit mühsamer Freundlichkeit. »Nichts mehr«, sagte der junge Arzt und war weg.

Ich ging erschöpft dem Häuschen entgegen, nicht so verzweifelt, wie ich hätte sein müssen, sogar fast gleichgültig. Ich mußte jetzt in das Häuschen gehen, wo meine Mutter mich erwartete — hatte ich nicht ihre Stimme schon gehört? ihr Gesicht gesehen? Stufen führten hinauf, wahnsinnige Stufen, hoch und glatt ohne Geländer, jede ein Berg, ein Gipfel, ein Gletscher. Es wurde gewiß zu spät — sie war vielleicht schon fort, vielleicht schon tot? Hatte ich sie eben nicht wieder rufen hören? Schweigend rang ich mit dem steilen Stufengebirge, fallend und gequetscht, wild und schluchzend, klomm und preßte mich, stemmte brechende Arme und Knie auf, und war oben, war am Tor, und die Stufen waren wieder klein und hübsch und von Buchsbaum eingefaßt. Jeder Schritt ging zäh und schwer wie durch Schlamm und Leim, kein Vorwärtskommen, das Tor stand offen, und drinnen ging in einem grauen Kleid meine Mutter, ein Körbchen am Arm, still und in Gedanken. Oh, ihr dunkles, schwach ergrautes Haar im kleinen Netz! Und ihr Gang, die kleine Gestalt! Und das Kleid, das graue Kleid – hatte ich denn alle die vielen, vielen Jahre her ihr Bild ganz verloren, gar niemals richtig mehr an sie gedacht?! Da war sie, da stand und ging sie, nur von hinten zu sehen, ganz wie sie war, ganz klar und schön, lauter Liebe, lauter Liebesgedanke!

Wütend watete mein lahmer Schritt in der zähen Luft, Pflanzenranken wie dünne starke Seile umschlangen mich mehr und mehr, feindselige Hemmnis überall, kein Vorwärtskommen! »Mutter!« rief ich – aber es gab keinen Ton . . . Es klang nicht. Es war Glas zwischen ihr und mir.

Meine Mutter ging langsam weiter, ohne zurückzublicken, still in schönen, sorglichen Gedanken, strich mit der wohlbekannten Hand einen unsichtbaren Faden vom Kleide, bückte sich über ihr Körbchen zum Nähzeug. O das Körbchen! Darin hatte sie mir einmal Ostereier versteckt. Ich schrie verzweifelt und lautlos. Ich lief und kam nicht vom Ort! Zärtlichkeit und Wut zerrten an mir.

Und sie ging langsam weiter durch das Gartenhaus, stand in der jenseitigen offenen Tür, schritt ins Freie hinaus. Sie senkte den Kopf ein wenig zur Seite, sanft und horchend, ihren Gedanken nach, hob und senkte das Körbchen – ein Zettel fiel mir ein, den ich als Knabe einmal in ihrem Körbchen fand, darauf stand von ihrer leichten Hand aufgeschrieben, was sie für den Tag zu tun und zu bedenken vorhatte – »Hermanns Hosen ausgefranst – Wäsche einlegen – Buch von Dickens entlehnen – Hermann hat gestern nicht gebetet.« – Ströme der Erinnerung, Lasten von Liebe!

Umschnürt und gefesselt stand ich am Tor, und drüben ging die Frau im grauen Kleide langsam hinweg, in den Garten, und war fort.

FALDUM

Der Jahrmarkt

Die Straße, die nach der Stadt Faldum führte, lief weit durch das hüglige Land, bald an Wäldern hin oder an grünen, weiten Weiden, bald an Kornfeldern vorbei, und je mehr sie sich der Stadt näherte, desto häufiger standen Gehöfte, Meiereien, Gärten und Landhäuser am Wege. Das Meer lag weit entfernt, man sah es nicht, und die Welt schien aus nichts anderm zu bestehen als aus kleinen Hügeln, kleinen hübschen Tälern, aus Weiden, Wald, Ackerland und Obstwiesen. Es war ein Land, das an Frucht und Holz, an Milch und Fleisch, an Äpfeln und Nüssen keinen Mangel litt. Die Dörfer waren recht hübsch und sauber, und die Leute waren im ganzen brav und fleißig und keine Freunde von gefährlichen oder aufregenden Unternehmungen, und ein jeder war zufrieden, wenn es seinem Nachbarn nicht besser ging als ihm selber. So war das Land Faldum beschaffen, und ähnlich sind die meisten Länder in der Welt, solange nicht besondere Dinge sich ereignen.

Die hübsche Straße nach der Stadt Faldum (sie hieß wie das Land) war an diesem Morgen seit dem ersten Hahnenschrei so lebhaft begangen und befahren, wie es nur einmal im Jahre zu sehen war, denn in der Stadt sollte heute der große Markt abgehalten werden, und auf zwanzig Meilen rundum war kein Bauer und keine Bäuerin, kein Meister und kein Gesell noch Lehrbube, kein Knecht und keine Magd und kein Junge oder Mädchen, die nicht seit Wochen an den großen Markt gedacht und davon geträumt hätten, ihn zu besuchen. Alle konnten ja nun nicht gehen; es mußte auch für Vieh und kleine Kinder, für Kranke und Alte gesorgt werden, und wen das Los getroffen hatte, daß er dableiben mußte, um Haus und Hof zu hüten, dem schien fast ein Jahr seines Lebens verloren, und es tat ihm leid um die schöne Sonne, die schon seit aller Frühe warm und festlich am blauen Spätsommerhimmel stand.

Mit kleinen Körbchen am Arm kamen die Frauen und Mägde gegangen, und die Burschen mit rasierten Wangen, und jeder mit einer Nelke oder Aster im Knopfloch, alles im Sonntagsputz, und die Schulmädchen mit sorgfältig gezöpften Haaren, die noch feucht und fett in der Sonne glänzten. Wer kutschierte, der trug eine Blume oder ein rotes Bändchen an den Peitschenstiel gebunden, und wer es vermochte, dessen Rosse hatten bis zu den Knien am breiten Schmuckleder die blankgeputzten Messingscheiben hängen. Es kamen Leiterwagen gefahren, über denen aus rundgebogenen Buchenästen ein grünes Dach gebaut war, und darunter saßen dichtgedrängt die Leute, mit Körben oder Kindern auf dem Schoß, und die meisten sangen laut im Chor, und dazwischen kam hin und wieder, besonders geschmückt mit Fahnen und mit Papierblumen rot und blau und weiß im grünen Buchenlaub, ein Wagen, aus dem quoll eine schallende Dorfmusik hervor, und zwischen den Ästen im Halbschatten sah man die goldenen Hörner und Trompeten leise und köstlich funkeln. Kleine Kinder, die schon seit Sonnenaufgang hatten laufen müssen, fingen zu weinen an und wurden von schwitzenden Müttern getröstet, manches fand bei einem gutmütigen Fuhrmann Aufnahme. Eine alte Frau schob ein Paar Zwillinge im Kinderwagen mit, und beide schliefen, und zwischen den schlafenden Kinderköpfen lagen auf dem Kissen nicht weniger rund und rotwangig zwei schöngekleidete und gestrählte Puppen.

Wer da am Wege wohnte und nicht selber heute nach dem Jahrmarkt unterwegs war, der hatte einen unterhaltsamen Morgen und beständig beide Augen voll zu schauen. Es waren aber wenige. Auf einer Gartentreppe saß ein zehnjähriger Junge und weinte, weil er allein bei der Großmutter daheim bleiben sollte. Als er aber genug gesessen und geweint hatte und gerade ein paar Dorfbuben vorübertraben sah, da sprang er mit einem Satz auf die Straße und schloß sich ihnen an. Nicht weit davon wohnte ein alter Junggeselle, der nichts vom Jahrmarkt wissen wollte, weil das Geld ihn reute. Er hatte sich vorgenommen, am heutigen Tage, wo alles feierte, ganz still für sich die hohe Weißdornhecke an seinem Garten zu beschneiden, denn sie hatte es nötig, und er war auch, kaum daß der Morgentau ein wenig vergangen war, mit seiner großen Hagschere munter ans Werk gegangen. Aber schon nach einer kleinen Stunde hatte er wieder aufgehört und sich zornig ins Haus verkrochen, denn es war kein Bursch vorübergegangen oder -gefahren, der nicht dem Heckenschneiden verwundert zugesehen und dem Manne einen Witz über seinen unzeitigen Fleiß zugeworfen hatte, und die Mädchen hatten dazu gelacht; und wenn er wütend wurde und mit seiner langen Schere drohte, dann hatte alles die Hüte geschwenkt und ihm lachend zugewinkt. Nun saß er drinnen hinter geschlossenen Läden, äugte aber neidisch durch die Spalten hinaus, und als sein Zorn mit der Zeit vergangen war und er die letzten spärlichen Marktgänger vorübereilen und -hasten sah, als ginge es um die Seligkeit, da zog er

Stiefel an, tat einen Taler in den Beutel, nahm den Stock und wollte gehen. Da fiel ihm schnell ein, ein Taler sei doch viel Geld; er nahm ihn wieder heraus, tat statt seiner einen halben Taler in den ledernen Beutel und schnürte ihn zu. Dann steckte er den Beutel in die Tasche, verschloß das Haus und die Gartentür und lief so hurtig, daß er bis zur Stadt noch manchen Fußgänger und sogar zwei Wagen überholte.

Fort war er, und sein Haus und Garten standen leer, und der Staub über der Straße begann sich sacht zu legen, Pferdegetrab und Blechmusiken waren verklungen und verflogen, schon kamen die Sperlinge von den Stoppelfeldern herüber, badeten sich im weißen Staub und besahen, was von dem Tumult übriggeblieben war. Die Straße lag leer und tot und heiß, ganz aus der Ferne wehte zuweilen noch schwach und verloren ein Jauchzer und ein Ton wie von Hörnermusik.

Da kam aus dem Walde hervor ein Mann gegangen, den breiten Hutrand tief über die Augen gezogen, und wanderte ganz ohne Eile allein auf der verödeten Landstraße fort. Er war groß gewachsen und hatte den festen, ruhigen Schritt, wie ihn Wanderer haben, welche sehr viel zu Fuß gereist sind. Gekleidet war er grau und unscheinbar, und aus dem Hutschatten blickten seine Augen sorgfältig und ruhig wie die Augen eines Menschen, der weiter nichts von der Welt begehrt, aber jedes Ding mit Aufmerksamkeit betrachtet und keins übersieht. Er sah alles, er sah die unzähligen verwirrten Wagenspuren dahinlaufen, er sah die Hufspuren eines Rosses, das den linken Hinterhuf nachgeschleift hatte, er sah in der Ferne aus einem staubigen Dunst klein mit schimmernden Dächern die Stadt Faldum am Hügel ragen, er sah in einem Garten eine kleine alte Frau voll Angst und Not umherirren und hörte sie nach jemand rufen, der nicht Antwort gab. Er sah am Wegrand einen winzigen Metallglanz zucken und bückte sich und hob eine blanke runde Messingscheibe auf, die ein Pferd vom Kummet verloren hatte. Die steckte er zu sich. Und dann sah er an der Straße einen alten Hag von Weißdorn, der war ein paar Schritt weit frisch beschnitten, und zu Anfang schien die Arbeit genau und sauber und mit Lust getan, mit jedem halben Schritt aber schlechter, denn bald war ein Schnitt zu tief gegangen, bald standen vergessene Zweige borstig und stachlig heraus. Weiterhin fand der Fremde auf der Straße eine Kinderpuppe liegen, über deren Kopf ein Wagenrad gegangen sein mußte, und ein Stück Roggenbrot, das noch von der weggeschmolzenen Butter glänzte; und zuletzt fand er einen starken ledernen Beutel, in dem stak ein halber Taler. Die Puppe lehnte er am Straßenrande gegen einen Prellstein, das Stück Brot verkrümelte er und fütterte es den Sperlingen, den Beutel mit dem halben Taler steckt er in die Tasche.

Es war unsäglich still auf der verlassenen Straße, der Rasenbord zu beiden Seiten lag dick verstaubt und sonnverbrannt. Nebenan in einem Gutshof liefen die Hühner herum, kein Mensch weit und breit, und gakkelten und stotterten träumerisch in der Sonnenwärme. In einem bläulichen Kohlgarten stand gebückt ein altes Weib und raufte Unkraut aus dem trockenen Boden. Der Wanderer rief sie an, wie weit es noch bis zur Stadt sei. Sie war aber taub, und als er lauter rief, blickte sie nur hilflos herüber und schüttelte den grauen Kopf.

Im Weitergehen hörte er hin und wieder Musik von der Stadt herüber aufrauschen und verstummen, und immer öfter und länger, und zuletzt klang es ununterbrochen wie ein entfernter Wasserfall, Musik und

Stimmengewirr, als wäre da drüben das sämtliche Menschenvolk vergnügt beieinander. Ein Bach lief jetzt neben der Straße hin, breit und still, mit Enten darauf und grünbraunem Seegras unterm blauen Spiegel. Da begann die Straße zu steigen, der Bach bog sich zur Seite, und eine steinerne Brücke führte hinüber. Auf der niederen Brückenmauer saß ein Mann, eine dünne Schneiderfigur, und schlief mit hängendem Kopf; sein Hut war ihm in den Staub gefallen, und neben ihm saß ein kleiner drolliger Hund, der ihn bewachte. Der Fremde wollte den Schläfer wecken, er konnte sonst im Schlaf über den Brückenrand fallen. Doch blickte er erst hinunter und sah, daß die Höhe gering und das Wasser seicht sei; da ließ er den Schneider sitzen und weiterschlafen.

Jetzt kam nach einer kleinen steilen Steige das Tor der Stadt Faldum, das stand weit offen, und kein Mensch war dort zu sehen. Der Mann schritt hindurch, und seine Tritte hallten plötzlich laut in einer gepflasterten Gasse wider, wo allen Häusern entlang zu beiden Seiten eine Reihe von leeren, abgespannten Wagen und Kaleschen stand. Aus andern Gassen her schallte Lärm und dumpfes Getriebe, hier aber war kein Mensch zu sehen, das Gäßlein lag voll Schatten, und nur die oberen Fenster spiegelten den goldenen Tag. Hier hielt der Wanderer eine kurze Rast, auf der Deichsel eines Leiterwagens sitzend. Als er weiterging, legte er auf die Fuhrmannsbank die messingene Roßscheibe, die er draußen gefunden hatte.

Kaum war er noch eine Gasse weit gegangen, da hallte rings um ihn Lärm und Jahrmarktgetöse; in hundert Buden hielten schreiende Händler ihre Waren feil, Kinder bliesen in versilberte Trompeten, Metzger fischten ganze Ketten von frischen, nassen Würsten aus großen kochenden Kesseln, ein Quacksalber stand hoch auf einer Tribüne, blickte eifrig aus einer dicken Hornbrille und hatte eine Tafel aller menschlichen Krankheiten und Gebrechen aufgehängt. An ihm vorüber zog ein Mensch mit schwarzen langen Haaren, dieser führte am Strick ein Kamel hinter sich. Das Tier blickte von seinem langen Halse hochmütig auf die Volksmenge herunter und schob die gespaltenen Lippen kauend hin und her.

Der Mann aus dem Walde schaute mit Aufmerksamkeit dem allen zu, er ließ sich vom Gedränge stoßen und schieben, blickte hier in den Stand eines Bilderbogenmannes und las dort die Sprüche und Devisen auf den bezuckerten Lebkuchen, doch blieb er nirgend verweilen und schien das, was er etwa suchte, noch nicht gefunden zu haben. So kam er langsam vorwärts und auf den großen Hauptplatz, wo an der Ecke ein Vogelhändler horstete. Da lauschte er eine Weile den Stimmen, die aus den vielen kleinen Käfigen kamen, und gab ihnen Antwort und pfiff ihnen leise zu, dem Hänfling, der Wachtel, dem Kanarienvogel, der Grasmücke.

Plötzlich sah er es in seiner Nähe so hell und blendend aufblinken, als wäre aller Sonnenschein auf diesen einzigen Fleck zusammengezogen, und als er näher ging, war es ein großer Spiegel, der in einer Meßbude hing, und neben dem Spiegel hingen andre Spiegel, zehn und hundert und noch mehr, große und kleine, viereckige, runde und ovale, Spiegel zum Aufhängen und zum Aufstellen, auch Handspiegel und kleine, dünne Taschenspiegel, die man bei sich tragen konnte, damit man sein eignes Gesicht nicht vergesse. Der Händler stand und fing in einem blitzenden Handspiegel die Sonne auf und ließ den funkelnden Widerschein über seine Bude tanzen; dazu rief er unermüdlich: »Spiegel, meine Herrschaften, hier kauft man Spiegel! Die besten Spiegel, die billigsten Spiegel von Faldum! Spiegel, meine Damen, herrliche Spiegel! Blicken Sie nur hinein, alles echt, alles bester Kristall!«

Bei der Spiegelbude blieb der Fremde stehen, wie einer, der gefunden hat, was er suchte. Unter den Leuten, die sich die Spiegel besahen, waren drei junge Mädchen vom Lande; neben diese stellte er sich und schaute ihnen zu. Es waren frische, gesunde Bauernmädchen, nicht schön und nicht häßlich, in starkgesohlten Schuhen und weißen Strümpfen, mit blonden, etwas sonngebleichten Zöpfen und eifrigen jungen Augen. Jede von den dreien hatte einen Spiegel zur Hand genommen, doch keine von den großen und teuren, und indem sie den Kauf noch zögernd überlegten und die holde Qual des Wählens kosteten, blickte jede zwischenein verloren und träumerisch in die blanke Spiegeltiefe und betrachtete ihr Bild, den Mund und die Augen, den kleinen Schmuck am Halse, die paar Sommersprossen über der Nase, den glatten Scheitel, das rosige Ohr. Darüber wurden sie still und ernsthaft; der Fremde, welcher hinter den Mädchen stand, sah ihre Bilder großäugig und beinah feierlich aus den drei Gläsern blicken.

»Ach«, hörte er die erste sagen, »ich wollte, ich hätte ganz goldrotes Haar und so lang, daß es mir bis an die Knie reichte!«

Das zweite Mädchen, als es den Wunsch der Freundin hörte, seufzte leise auf und blickte inniger in ihren Spiegel. Dann gestand auch sie mit Erröten, wovon ihr Herz träumte, und sagte schüchtern: »Ich, wenn ich wünschen dürfte, ich möchte die allerschönsten Hände haben, ganz weiß und zart, mit langen, schmalen Fingern und rosigen Fingernägeln.« Sie blickte dabei auf ihre Hand, die den ovalen Spiegel hielt. Die Hand war nicht häßlich, aber sie war ein wenig kurz und breit und von der Arbeit grob und hart geworden.

Die dritte, die kleinste und vergnügteste von allen dreien, lachte dazu und rief lustig: »Das ist kein übler Wunsch. Aber weißt du, auf die Hände kommt es nicht so sehr an. Mir wäre es am liebsten, wenn ich von heut an die beste und flinkste Tänzerin vom ganzen Land Faldum wäre.«

Da erschrak das Mädchen plötzlich und drehte sich um, denn aus dem Spiegel blickte hinter ihrem eignen Gesicht hervor ein fremdes mit schwarzen, glänzenden Augen. Es war das Gesicht des fremden Mannes, der hinter sie getreten war, und den sie alle drei bisher gar nicht beachtet hatten. Jetzt sahen sie ihm verwundert ins Gesicht, als er ihnen zunickte und sagte: »Da habt ihr ja drei schöne Wünsche getan, ihr Jungfern. Ist's euch auch richtig ernst damit?«

Die Kleine hatte den Spiegel weggelegt und die Hände hinterm Rücken verborgen. Sie hatte Lust, den Mann ihren kleinen Schrecken entgelten zu lassen, und besann sich schon auf ein scharfes Wort; aber wie sie ihm ins Gesicht sah, hatte er so viel Macht in den Augen, daß sie verlegen wurde. »Geht's Euch was an, was ich mir wünsche?« sagte sie bloß und wurde rot.

Aber die andre, die sich die feinen Hände gewünscht hatte, faßte Vertrauen zu dem großen Manne, der etwas Väterliches und Würdiges in seinem Wesen hatte. Sie sagte: »Jawohl, es ist uns ernst damit. Kann man sich denn etwas Schöneres wünschen?«

Der Spiegelhändler war herzugetreten, auch andre Leute hörten zu. Der Fremde hatte den Hutrand emporgeschlagen, daß man eine helle, hohe Stirn und gebieterische Augen sah. Jetzt nickte er den drei Mädchen freundlich zu und rief lächelnd: »Seht, ihr habt ja schon alles, was ihr euch gewünscht habt!«

Die Mädchen blickten einander an, und dann jede schnell in einen Spiegel, und alle drei erbleichten vor Erstaunen und Freude. Die eine hatte dichte goldene Locken bekommen, die ihr bis zu den Knien reichten. Die zweite hielt ihren Spiegel in den weißesten, schlanksten Prinzessinnenhänden, und die dritte stand plötzlich in rotledernen Tanzschuhen und auf so schlanken Knöcheln wie ein Reh. Sie konnten noch gar nicht fassen, was geschehen war; aber die mit den vornehmen Händen brach in selige Tränen aus, sie lehnte sich auf die Schulter ihrer Freundin und weinte glückselig in ihr langes, goldenes Haar hinein.

Jetzt sprach und schrie sich die Geschichte von dem Wunder in dem Umkreis der Bude herum. Ein junger Handwerksgeselle, welcher alles mit angesehen, stand mit aufgerissenen Augen da und starrte den Fremden wie versteinert an.

»Willst du dir nicht auch etwas wünschen?« fragte ihn da plötzlich der Fremde.

Der Geselle schrak zusammen, er war ganz verwirrt und ließ die Blicke hilflos ringsum laufen, um etwas zu erspähen, was er etwa wünschen könnte. Da sah er vor der Bude eines Schweinemetzgers einen gewaltigen Kranz von dicken, roten Knackwürsten ausgehängt, und er stammelte, indem er hinüberdeutete: »So einen Kranz Knackwürste möcht' ich gern haben.« Siehe, da hing der Kranz ihm um den Hals, und alle, die es sahen, begannen zu lachen und zu schreien, und jeder suchte sich näher heranzudrücken, und jeder wollte jetzt auch einen Wunsch tun. Das durften sie auch, und der nächste, der an die Reihe kam, war schon kecker und wünschte sich ein neues tuchenes Sonntagsgewand von oben bis unten; und kaum gesagt, steckte er in einer feinen, nagelneuen Kleidung, wie sie der Bürgermeister nicht besser hatte. Dann kam eine Frau vom Lande, die faßte sich ein Herz und verlangte geradehin zehn Taler, und die Taler klirrten ihr alsbald in der Tasche.

Nun sahen die Leute, daß da in allem Ernst Wunder geschähen, und sofort wälzte sich die Kunde davon weiter über den Marktplatz und durch die Stadt, und die Menschen bildeten schnell einen riesigen Klumpen rings um die Bude des Spiegelhändlers. Viele lachten noch und machten Witze, andre glaubten nichts und redeten mißtrauisch. Viele aber waren schon vom Wunschfieber befallen und kamen mit glühenden Augen und mit heißen Gesichtern gelaufen, die von Begierde und Sorge verzerrt waren, denn jeder fürchtete, der Quell möchte versiegen, noch ehe er selber zum Schöpfen käme. Knaben wünschten sich Kuchen, Armbrüste, Hunde, Säcke voll Nüsse, Bücher und Kegelspiele; Mädchen gingen beglückt mit neuen Kleidern, Bändern, Handschuhen und Sonnenschirmen davon. Ein zehnjähriger kleiner Junge aber, der seiner Großmutter davongelaufen war und vor lauter Herrlichkeit und Jahrmarktsglanz aus Rand und Band gekommen war, der wünschte sich mit heller Stimme ein lebendiges Pferdchen, es müsse aber ein schwarzes sein; und alsbald wieherte hinter ihm ein schwarzes Füllen und rieb den Kopf vertraulich an seiner Schulter.

Durch die vom Zauber ganz berauschte Menge zwängte sich darauf ein ältlicher Junggeselle mit einem Spazierstock in der Hand, der trat zitternd vor und konnte vor Aufregung kaum ein Wort über die Lippen bringen.

»Ich wünsche«, sagte er stammelnd, »ich wü-ünsche mir zweimalhundert — —«

Da sah ihn der Fremde prüfend an, zog einen ledernen Beutel aus seiner Tasche und hielt ihn dem erregten Männlein vor die Augen. »Wartet noch!« sagte er. »Habt Ihr nicht etwa diesen Geldbeutel verloren? Es ist ein halber Taler drin.«

»Ja, das hab' ich«, rief der Junggeselle. »Der ist mein.«

»Wollt Ihr ihn wiederhaben?«

»Ja, ja, gebt her!«

Da bekam er seinen Beutel, und damit hatte er seinen Wunsch vertan, und als er das begriff, hieb er voll Wut mit seinem Stock nach dem Fremden, traf ihn aber nicht und schlug bloß einen Spiegel herunter; und das Scherbenklingen war noch nicht verrasselt, da stand schon der Händler und verlangte Geld, und der Junggeselle mußte bezahlen.

Jetzt aber trat ein feister Hausbesitzer vor und tat einen Kapitalwunsch, nämlich um ein neues Dach auf sein Haus. Da glänzte es ihm schon mit nagelneuen Ziegeln und weißgekalkten Schornsteinen aus seiner Gasse entgegen. Da wurden alle aufs neue unruhig, und ihre Wünsche stiegen höher, und bald sah man einen, der schämte sich nicht und wünschte in aller Bescheidenheit ein neues vierstöckiges Haus am Marktplatz, und eine Viertelstunde später lag er schon überm Sims zum eignen Fenster heraus und sah sich von dort den Jahrmarkt an.

Es war nun eigentlich kein Jahrmarkt mehr, sondern alles Leben in der Stadt ging wie der Fluß von der Quelle nur noch von jenem Orte bei der Spiegelbude aus, wo der Fremde stand und wo man seine Wünsche tun durfte. Bewunderungsgeschrei, Neid oder

Gelächter folgte auf jeden Wunsch, und als ein kleiner hungriger Bub sich nichts als einen Hut voll Pflaumen gewünscht hatte, da wurde ihm der Hut von einem, der weniger bescheiden gewesen, mit Talerstücken nachgefüllt. Großen Jubel und Beifall fand sodann eine fette Krämerfrau, die sich von einem schweren Kropf freiwünschte. Hier zeigte sich aber, was Zorn und Mißgunst vermag. Denn der eigne Mann dieser Krämerin, der mit ihr in Unfrieden lebte und sich eben mit ihr gezankt hatte, verwandte seinen Wunsch, der ihn hätte reich machen können, darauf, daß der verschwundene Kropf wieder an seine alte Stelle kam. Aber das Beispiel war einmal gegeben, man brachte eine Menge von Gebrechlichen und Kranken herbei, und die Menge geriet in einen neuen Taumel, als die Lahmen zu tanzen begannen und die Blinden mit beseligten Augen das Licht begrüßten.

Die Jugend war unterdessen längst überall herumgelaufen und hatte das herrliche Wunder verkündigt. Man erzählte da von einer treuen alten Köchin, daß sie am Herde stand und für ihre Herrschaft eben eine Gans briet, als durchs Fenster auch sie der Ruf erreichte. Da konnte sie nicht widerstehen und lief davon und auf den Marktplatz, um sich schnell fürs Leben reich und glücklich zu wünschen. Je weiter sie aber durch die Menge vordrang, desto vernehmlicher schlug ihr das Gewissen, und als sie an die Reihe kam und wünschen durfte, da gab sie alles preis und begehrte nur, die Gans möge nicht anbrennen, bis sie wieder bei ihr sei.

Der Tumult nahm kein Ende. Kindermädchen kamen aus den Häusern gestürzt und schleppten ihre Kleinen auf den Armen mit, Bettlägerige rannten vor Eifer im Hemd auf die Gassen. Es kam auch ganz verwirrt und verzweifelt vom Lande herein eine kleine alte Frau gepilgert, und als sie von dem Wünschen hörte, da bat sie schluchzend, daß sie ihren verlorengegangenen Enkel heil wiederfinden möchte. Schau, da kam unverweilt der Knabe auf einem kleinen schwarzen Roß geritten und fiel ihr lachend in die Arme.

Am Ende war die ganze Stadt verwandelt und von einem Rausch ergriffen. Arm in Arm wandelten Liebespaare, deren Wünsche in Erfüllung gegangen waren, arme Familien fuhren in Kaleschen einher und hatten noch die geflickten alten Kleider von heute morgen an. Alle die vielen, die schon jetzt einen unklugen Wunsch bereuten, waren entweder traurig fortgegangen oder tranken sich Vergessen am alten Marktbrunnen, den ein Spaßvogel durch seinen Wunsch mit dem besten Wein gefüllt hatte.

Und schließlich gab es in der Stadt Faldum nur noch zwei einzige Menschen, die nichts von dem Wunder wußten und sich nichts gewünscht hatten. Es waren zwei Jünglinge, und sie staken hoch in der Dachkammer eines alten Hauses in der Vorstadt bei verschlossenen Fenstern. Der eine stand mitten in der Kammer, hielt die Geige unterm Kinn und spielte mit hingegebener Seele; der andre saß in der Ecke, hielt den Kopf zwischen den Händen und war ganz und gar im Zuhören versunken. Durch die kleinen Fensterscheiben strahlte die Sonne schon schräg und abendlich und glühte tief in einem Blumenstrauß, der auf dem Tische stand, und spielte an der Wand auf den zerrissenen Tapeten. Die Kammer war ganz vom warmen Licht und von den glühenden Tönen der Geige erfüllt, wie eine kleine geheime Schatzkammer vom Glanz der Edelsteine. Der Geiger wiegte sich im Spielen hin und her und hatte die Augen geschlossen. Der Zuhörer sah still zu Boden und saß so starrend und verloren, als wäre kein Leben in ihm.

Da tappten laute Schritte auf der Gasse, und das Haustor ward aufgestoßen, und die Schritte kamen schwer und polternd über alle Treppen herauf bis vor die Dachkammer. Das war der Hausherr, und er riß die Tür auf und schrie lachend in die Kammer hinein, daß das Geigenlied plötzlich abriß und der stumme Zuhörer wild und gepeinigt in die Höhe sprang. Auch der Geigenspieler war betrübt und zornig darüber, daß er gestört worden war, und blickte dem Manne vorwurfsvoll in das lachende Gesicht. Aber der achtete nicht darauf, er schwenkte die Arme wie ein Trunkener und schrie: »Ihr Narren, da sitzet ihr und geigt, und draußen hat sich die ganze Welt verwandelt. Wachet auf und laufet, daß ihr nicht zu spät kommt; am Marktplatz steht ein Mann, der macht, daß jedermann einen Wunsch erfüllt bekommt. Da braucht ihr nicht länger unterm Dach zu wohnen und das bißchen Miete schuldig zu bleiben. Auf und vorwärts, eh's zu spät ist! Auch ich bin heut ein reicher Mann geworden.«

Verwundert hörte das der Geiger, und da der Mensch ihm keine Ruhe ließ, legte er die Geige weg und drückte sich den Hut auf den Kopf; sein Freund kam schweigend hinterher. Kaum waren sie aus dem Hause, da sahen sie schon die halbe Stadt aufs merkwürdigste verwandelt und gingen beklommen wie im Traum an Häusern vorüber, die noch gestern grau und schief und niedrig gewesen waren, jetzt aber standen sie hoch und schmuck wie Paläste. Leute, die sie als Bettler kannten, fuhren vierspännig in Kutschen einher oder schauten breit und stolz aus den Fenstern schöner Häuser. Ein hagerer Mensch, der wie ein Schneider aussah und dem ein winziges Hündlein nachlief, schleppte sich ermüdet und schwitzend mit einem großen, schweren Sack, und aus dem Sacke tropften durch ein kleines Loch einzelne Goldstücke auf das Pflaster.

Wie von selber kamen die beiden Jünglinge auf den Marktplatz und vor die Bude mit den Spiegeln. Da stand der unbekannte Mann und sagte zu ihnen: »Ihr habt es nicht eilig mit dem Wünschen. Gerade wollte ich fortgehen. Also sagt, was ihr haben wollt, und tut euch keinen Zwang an.«

Der Geiger schüttelte den Kopf und sagte: »Ach, hättet Ihr mich in Ruhe gelassen! Ich brauche nichts.«

»Nein? Besinne dich!« rief der Fremde. »Du darfst dir wünschen, was du dir nur ausdenken kannst.«

Da schloß der Geiger eine Weile die Augen und dachte nach. Und sagte dann leise: »Ich wünsche mir eine Geige, auf der ich so wunderbar spielen kann, daß die ganze Welt mit ihrem Lärm nicht mehr an mich kommt.«

Und sieh, er hielt eine schöne Geige in Händen und einen Geigenbogen, und er drückte die Geige an sich und begann zu spielen: das klang süß und mächtig wie das Lied vom Paradiese. Wer es hörte, der blieb stehen und lauschte und bekam ernste Augen. Der Geiger aber, wie er immer inniger und herrlicher spielte, ward von den Unsichtbaren emporgenommen und verschwand in den Lüften, und noch von weiter Ferne klang eine Musik mit leisem Glanz wie Abendrot herüber.

»Und du? Was willst du dir wünschen?« fragte der Mann den andern Jüngling.

»Jetzt habt Ihr mir den Geiger auch noch genommen!« sagte der Jüngling. »Ich mag vom Leben nichts haben als Zuhören und Zuschauen und mag nur an das denken, was unvergänglich ist. Darum wünsche ich, ich möchte ein Berg sein, so groß wie das Land Faldum und so hoch, daß mein Gipfel über die Wolken ragt.«

Da begann es unter der Erde zu donnern, und alles fing an zu schwanken; ein gläsernes Klirren ertönte, die Spiegel fielen einer um den andern auf dem Pflaster in Scherben, der Marktplatz hob sich schwankend, wie ein Tuch sich hebt, unter dem eine eingeschlafene Katze erwacht und den Rücken in die Höhe bäumt. Ein ungeheurer Schrecken kam über das Volk, Tausende flohen schreiend aus der Stadt in die Felder. Die aber, die auf dem Marktplatz geblieben waren, sahen hinter der Stadt einen gewaltigen Berg emporsteigen bis in die Abendwolken, und unterhalb sahen sie den stillen Bach in ein weißes, wildes Gebirgswasser verwandelt, das hoch vom Berge schäumend in vielen Fällen und Sprüngen zu Tale kam.

Ein Augenblick war vergangen, da war das ganze Land Faldum ein riesiger Berg geworden, an dessen Fuße die Stadt lag, und fern in der Tiefe sah man das Meer. Es war aber niemand beschädigt worden.

Ein alter Mann, der bei der Spiegelbude gestanden und alles mit angesehen hatte, sagte zu seinem Nachbar: »Die Welt ist närrisch geworden; ich bin froh, daß ich nicht mehr lang zu leben habe. Nur um den Geiger tut mir's leid, den möchte ich noch einmal hören.«

»Jawohl«, sagte der andre. »Aber sagt, wo ist denn der Fremde hingekommen?«

Sie blickten sich um, er war verschwunden. Und als sie an dem neuen Berge emporschauten, sahen sie den Fremden hoch oben hinweggehen, in einem wehenden Mantel, und sahen ihn einen Augenblick riesengroß gegen den Abendhimmel stehen und um eine Felsenecke verschwinden.

Alles vergeht, und alles Neue wird alt. Lange war der Jahrmarkt vergangen, und mancher war längst schon wieder arm, der sich damals zum reichen Manne gewünscht hatte. Das Mädchen mit den langen goldroten Haaren hatte schon lange einen Mann und hatte Kinder, welche selber schon die Jahrmärkte in der Stadt in jedem Spätsommer besuchten. Das Mädchen mit den flinken Tanzfüßen war eine Meistersfrau in der Stadt geworden, die noch immer prachtvoll tanzen konnte und besser als manche junge, und so viel Geld sich auch ihr Mann damals gewünscht hatte, es hatte doch den Anschein, als würden die beiden lustigen Leute noch bei ihren Lebzeiten damit fertig werden. Das dritte Mädchen aber, die mit den schönen Händen, die war es, die von allen noch am meisten an den fremden Mann bei der Spiegelbude dachte. Dieses Mädchen hatte nämlich nicht geheiratet und war nicht reich geworden, aber die feinen Hände hatte sie immer noch und tat der Hände wegen keine Bauernarbeit mehr, sondern sie hütete die Kinder in ihrem Dorf herum, wo es eben not tat, und erzählte ihnen Märchen und Geschichten, und sie war es, von der alle Kinder die Geschichte von dem wunderbaren Jahrmarkt erfahren hatten, und wie die Armen reich geworden waren und das Land Faldum ein Gebirge. Wenn sie diese Geschichte erzählte, dann blickte sie lächelnd vor sich hin und auf ihre schlanken Prinzessinnenhände und war so bewegt und liebevoll, daß man glauben konnte, niemand habe damals bei den Spiegeln ein strahlenderes Glückslos gezogen als sie, die doch arm und ohne Mann geblieben war und ihre schönen Geschichten fremden Kindern erzählen mußte.

Wer damals jung gewesen war, der war jetzt alt, und wer damals alt gewesen, war jetzt gestorben. Unverändert und ohne Alter stand nur der Berg, und wenn der Schnee auf seinem Gipfel durch die Wolken blendete, schien er zu lächeln und froh zu sein, daß er kein Mensch mehr war und nicht mehr nach menschlichen Zeiten zu rechnen brauchte. Hoch über Stadt und Land leuchteten die Felsen des Berges, sein gewaltiger Schatten wanderte mit jedem Tage über das Land, seine Bäche und Ströme verkündigten unten das Kommen und Schwinden der Jahreszeiten, der Berg war der Hort und Vater aller geworden. Wald wuchs auf ihm, und Wiesen mit wehendem Gras und mit Blumen; Quellen kamen aus ihm und Schnee und Eis und Steine, und auf den Steinen wuchs farbiges Moos, und an den Bächen Vergißmeinnicht. In seinem Innern waren Höhlen, da tropfte Wasser wie Silberfäden Jahr um Jahr in wechselloser Musik vom Gestein aufs Gestein, und in seinen Klüften gab es heimliche Kammern, wo mit tausendjähriger Geduld die Kristalle wuchsen. Auf dem Gipfel des Berges war nie ein Mensch gewesen. Aber manche wollten wissen, es sei dort ganz oben ein kleiner runder See, darin habe sich niemals etwas andres gespiegelt als die Sonne, der Mond, die Wolken und die Sterne. Nicht Mensch noch Tier habe je in diese Schale geblickt, die der Berg dem Himmel entgegenhalte, denn auch die Adler flögen nicht so hoch.

Die Leute von Faldum lebten fröhlich in der Stadt und in den vielen Tälern; sie tauften ihre Kinder, sie trieben Markt und Gewerbe, sie trugen einander zu Grabe. Und alles, was von den Vätern zu den Enkeln kam und weiterlebte, das war ihr Wissen und Träumen vom Berge. Hirten und Gemsjäger, Wildheuer und Blumensucher, Sennen und Reisende mehrten den Schatz, und Liederdichter und Erzähler gaben ihn weiter; sie wußten von unendlichen finsteren Höhlen, von sonnenlosen Wasserfällen in verborgenen Klüften, von tiefgespaltenen Gletschern, sie lernten die Lawinenbahnen und die Wetterluken kennen, und was dem Lande zukam an Wärme und Frost, an Wasser und Wuchs, an Wetter und Winden, das kam alles vom Berge.

Von den früheren Zeiten wußte niemand mehr. Da gab es wohl die schöne Sage von dem wundersamen Jahrmarkt, an welchem jede Seele in Faldum sich wünschen durfte, was sie mochte. Aber daran, daß an jenem Tage auch der Berg entstanden sei, wollte kein Mensch mehr glauben. Der Berg, das war gewiß, stand von Anbeginn der Dinge an seinem Ort und würde in Ewigkeit dastehen. Der Berg war die Heimat, der Berg war Faldum. Aber die Geschichte von den drei Mädchen und von dem Geiger, die hörte man gern, und zu allen Zeiten gab es hier oder dort einen Jüngling, der bei verschlossener Tür sich tief ins Geigenspiel verlor und davon träumte, einmal in seinem schönsten Liede so zu vergehen und dahinzuwehen wie der zum Himmel gefahrene Geiger.

Der Berg lebte still in seiner Größe dahin. Jeden Tag sah er fern und rot die Sonne aus dem Weltmeer steigen und ihren runden Gang um seinen Gipfel tun, von Osten nach Westen, und jede Nacht denselben stillen Weg die Sterne. Jedes Jahr umhüllte ihn der Winter tief mit Schnee und Eis, und jedes Jahr zu ihrer Zeit suchten die Lawinen ihren Weg und lachten am Rand ihrer Schneereste die helläugigen Sommerblumen blau und gelb, und die Bäche sprangen voller, und die Seen blauten warm im Licht. In unsichtbaren Klüften donnerten dumpf die verlorenen Wasser, und der kleine runde See zu oberst auf dem Gipfel lag schwer mit Eis bedeckt und wartete das ganze Jahr, um in der kurzen Zeit der Sommerhöhe sein lichtes Auge aufzutun und wenig Tage lang die Sonne und wenig Nächte lang die Sterne zu spiegeln. In dunklen Höhlen standen die Wasser und läutete das Gestein im ewigen Tropfenfall, und in geheimen Schlünden wuchsen die tausendjährigen Kristalle treulich ihrer Vollkommenheit entgegen.

Am Fuße des Berges und wenig höher als die Stadt lag ein Tal, da floß ein breiter Bach mit klarem Spiegel zwischen Erlen und Weiden hin. Dorthin gingen die jungen Menschen, die sich liebhatten, und lernten vom Berg und von den Bäumen die Wunder der Jahreszeiten. In einem andern Tale hielten die Männer ihre Übungen mit Pferden und Waffen, und auf einer steilen, hohen Felsenkuppe brannte in der Sommersonnwendnacht jedes Jahres ein gewaltiges Feuer.

Die Zeiten rannen dahin, und der Berg beschützte Liebestal und Waffenplatz, er bot den Sennen Raum und den Holzfällern, den Jägern und den Flößern; er gab Steine zum Bauen und Eisen zum Schmelzen. Gleichmütig sah er zu und ließ gewähren, wie das erste Sommerfeuer auf der Kuppe loderte, und sah es hundertmal und wieder manche hundert Male wiederkehren. Er sah die Stadt da unten mit kleinen stumpfen Armen um sich greifen und über die alten Mauern hinauswachsen; er sah die Jäger ihre Armbrüste vergessen und mit Feuerwaffen schießen. Die Jahrhunderte liefen ihm dahin wie Jahreszeiten, und die Jahre wie Stunden.

Ihn kümmerte es nicht, daß einmal im langen Lauf der Jahre das rote Sonnwendfeuer auf der Felsenplatte nicht mehr aufglühte und von da an vergessen blieb. Ihm schuf es keine Sorgen, als im langen Lauf der Zeiten das Tal der Waffenübungen verödete und auf der Rennbahn Wegerich und Distel heimisch wurden. Und er hinderte es nicht, als einmal im langen Lauf der Jahrhunderte ein Bergsturz seine Form veränderte und daß unter den davongerollten Felsen die halbe Stadt Faldum in Trümmern liegenblieb. Er blickte kaum hinab, und er nahm nicht wahr, daß die zertrümmerte Stadt liegenblieb und nicht wieder aufgebaut wurde.

Ihn kümmerte dies alles nicht. Aber andres begann ihn zu kümmern. Die Zeiten rannen, und siehe, der Berg war alt geworden. Wenn er die Sonne kommen und wandern und davongehen sah, so war es nicht wie einst, und wenn die Sterne sich im fahlen Gletscher spiegelten, so fühlte er sich nicht mehr ihresgleichen. Ihm war die Sonne und waren die Sterne jetzt nicht mehr sonderlich wichtig. Wichtig war ihm jetzt, was an ihm selber und in seinem Innern vorging. Denn er fühlte, wie tief unter seinen Felsen und Höhlen eine fremde Hand Arbeit tat, wie hartes Urgestein mürbe ward und in schieferigen Lagen verwitterte, wie die Bäche und Wasserfälle sich tiefer fraßen. Gletscher waren geschwunden und Seen gewachsen, Wald war in Steinfelder verwandelt und Wiesen in schwarzes Moor; unendlich weit hinaus in spitzen Zungen liefen die kahlen Bänder seiner Moränen und Geröllrinnen in das Land, und das Land dort unten war seltsam anders geworden, seltsam steinig, seltsam verbrannt und still. Der Berg zog sich mehr und mehr in sich selber zurück. Er fühlte wohl, nicht Sonne und Gestirne waren seinesgleichen. Seinesgleichen war Wind und Schnee, Wasser und Eis. Seinesgleichen war, was ewig scheint und was doch langsam schwindet, was langsam vergeht.

Inniger leitete er seine Bäche zu Tal, sorglicher rollte er seine Lawinen hinab, zärtlicher bot er seine Blumenwiesen der Sonne hin. Und es geschah, daß er sich in seinem hohen Alter auch der Menschen wieder erinnerte. Nicht daß er die Menschen für seinesgleichen geachtet hätte, aber er begann nach ihnen auszuschauen, er begann sich verlassen zu fühlen, er begann an Vergangenes zu denken. Allein die Stadt war nicht mehr da, und kein Gesang im Liebestal, und keine Hütten mehr auf den Almen. Es waren keine Menschen mehr da. Auch sie waren vergangen. Es war still geworden, es war welk geworden, es lag ein Schatten in der Luft.

Der Berg erbebte, als er fühlte, was Vergehen sei; und als er erbebte, sank sein Gipfel zur Seite und stürzte hinab, und Felstrümmer rollten ihm nach über das Liebestal hinweg, das längst mit Steinen ausgefüllt lag, bis in das Meer hinunter.

Ja, die Zeiten waren anders geworden. Wie kam das nur, daß er sich jetzt immer der Menschen erinnern und an sie denken mußte? War das nicht einst wunderschön gewesen, wie die Sommerfeuer gebrannt hatten, und wie im Liebestal die jungen Menschen in Paaren gingen? Oh, und wie hatte ihr Gesang oft süß und warm geklungen!

Der greise Berg war ganz in Erinnerung versunken, er fühlte kaum, wie die Jahrhunderte wegflossen, wie es da und dort in seinen Höhlen mit leisem Donner stürzte und sich schob. Wenn er der Menschen gedachte, so schmerzte ihn ein dumpfer Anklang aus vergangenen Weltaltern, eine unverstandene Bewegung und Liebe, ein dunkler, schwebender Traum, als wäre einst auch er ein Mensch oder den Menschen ähnlich gewesen, hätte gesungen und singen hören, als sei ihm der Gedanke der Vergänglichkeit schon in seinen frühesten Tagen einmal durchs Herz gegangen.

Die Zeitalter flossen weg. Herabgesunken und von rauhen Steinwüsten rings umgeben, hing der sterbende

Berg seinen Träumen nach. Wie war das einst gewesen? War da nicht ein Klang, ein feiner Silberfaden, der ihn mit der vergangenen Welt verband? Mühsam wühlte er in der Nacht vermoderter Erinnerungen, tastete ruhelos zerrissenen Fäden nach, beugte sich immer wieder weit über den Abgrund des Gewesenen. — Hatte nicht auch ihm einst in der Zeitenferne eine Gemeinschaft, eine Liebe geglüht? War nicht auch er einst, der Einsame, der Große, gleich unter Gleichen gewesen? — Hatte nicht auch ihm einst, im Anfang der Dinge, eine Mutter gesungen?

Er sann und sann, und seine Augen, die blauen Seen, wurden trüb und schwer und verwandelten sich in Moor und Sumpf, und über die Grasbänder und kleinen Blumenplätze hin rieselte Steingeschiebe. Er sann, und aus undenklicher Ferne herüber hörte er es klingen, fühlte Töne schweben, ein Lied, ein Menschenlied, und er erzitterte vor schmerzlicher Lust im Wiedererkennen. Er hörte die Töne, und er sah einen Menschen, einen Jüngling, ganz in Töne gehüllt durch die Lüfte in den sonnigen Himmel schweben, und hundert vergrabene Erinnerungen waren erschüttert und begannen zu rieseln und zu rollen. Er sah ein Menschengesicht mit dunklen Augen, und die Augen fragten ihn zwingend: »Willst du nicht einen Wunsch tun?«

Und er tat einen Wunsch, einen stillen Wunsch, und indem er ihn tat, fiel jene Qual von ihm ab, daß er sich auf so ferne und verschollene Dinge besinnen mußte, und alles fiel von ihm ab, was ihm weh getan hatte. Es stürzte der Berg und das Land in sich zusammen, und wo Faldum gewesen war, da wogte weit und rauschend das unendliche Meer, und darüber gingen im Wechsel die Sonne und die Sterne hin.

IRIS

Im Frühling seiner Kindheit lief Anselm durch den grünen Garten. Eine Blume unter den Blumen der Mutter hieß Schwertlilie, die war ihm besonders lieb. Er hielt seine Wange an ihre hohen hellgrünen Blätter, drückte tastend seine Finger an ihre scharfen Spitzen, roch atmend an der großen wunderbaren Blüte und sah lange hinein. Da standen lange Reihen von gelben Fingern aus dem bleichbläulichen Blumenboden empor, zwischen ihnen lief ein lichter Weg hinweg und hinabwärts in den Kelch und das ferne, blaue Geheimnis der Blüte hinein. Die liebte er sehr, und blickte lange hinein, und sah die gelben feinen Glieder bald wie einen goldenen Zaun am Königsgarten stehen, bald als doppelten Gang von schönen Traumbäumen, die kein Wind bewegt, und zwischen ihnen lief hell und von glaszarten lebendigen Adern durchzogen der geheimnisvolle Weg ins Innere. Ungeheuer dehnte die Wölbung sich auf, nach rückwärts verlor der Pfad zwischen den goldenen Bäumen sich unendlich tief in unausdenkliche Schlünde, über ihm bog sich die violette Wölbung königlich und legte zauberische dünne Schatten über das stille wartende Wunder. Anselm wußte, daß dies der Mund der Blume war, daß hinter den gelben Prachtgewächsen im blauen Schlunde ihr Herz und ihre Gedanken wohnten, und daß über diesen holden, lichten, glasig geäderten Weg ihr Atem und ihre Träume aus und ein gingen.

Und neben der großen Blüte standen kleinere, die noch nicht aufgegangen waren, sie standen auf festen, saftigen Stielen in einem kleinen Kelche aus bräunlich grüner Haut, aus ihnen drang die junge Blüte still und kräftig hinan, in lichtes Grün und Lila fest gewickelt, oben aber schaute straff und zart gerollt das junge tiefe Violett mit feiner Spitze hervor. Auch schon auf diesen festgerollten, jungen Blütenblättern war Geäder und hundertfache Zeichnung zu sehen.

Am Morgen, wenn er aus dem Hause und aus dem Schlaf und Traum und fremden Welten wiederkam, da stand unverloren und immer neu der Garten und wartete auf ihn, und wo gestern eine harte blaue Blütenspitze dicht gerollt aus grüner Schale gestarrt hatte, da hing nun dünn und blau wie Luft ein junges Blatt, wie eine Zunge und wie eine Lippe, suchte tastend seine Form und Wölbung, von der es lang geträumt, und zu unterst, wo es noch im stillen Kampf mit seiner Hülle lag, da ahnte man schon feine gelbe Gewächse, lichte geäderte Bahn und fernen, duftenden Seelenabgrund bereitet. Vielleicht am Mittag schon, vielleicht am Abend war sie offen, wölbte blaues Seidenzelt über goldnem Traumwalde, und ihre ersten Träume, Gedanken und Gesänge kamen still aus dem zauberhaften Abgrund hervorgeatmet.

Es kam ein Tag, da standen lauter blaue Glockenblumen im Gras. Es kam ein Tag, da war plötzlich ein neuer Klang und Duft im Garten, und über rötlichem durchsonntem Laub hing weich und rotgolden die erste Teerose. Es kam ein Tag, da waren keine Schwertlilien mehr da. Sie waren gegangen, kein goldbezäunter Pfad mehr führte zart in duftende Geheimnisse hinab, fremd standen starre Blätter spitz und kühl. Aber rote Beeren waren in den Büschen reif, und über den Sternblumen flogen neue, unerhörte Falter frei und spielend hin, rotbraune mit perlmutternen Rücken und schwirrende, glasflüglige Schwärmer.

Anselm sprach mit den Faltern und mit den Kieselsteinen, er hatte zum Freund den Käfer und die Eidechse, Vögel erzählten ihm Vogelgeschichten, Farnkräuter zeigten ihm heimlich unterm Dach der Riesenblätter den braunen gesammelten Samen, Glasscherben grün und kristallen fingen ihm den Sonnenstrahl und wurden Paläste, Gärten und funkelnde Schatzkammer. Waren die Lilien fort, so blühten die Kapuziner, waren die Teerosen welk, so wurden die Brombeeren braun, alles verschob sich, war immer da und immer fort, verschwand und kam zur Zeit wieder, und auch die bangen, wunderlichen Tage, wo der Wind kalt in der Tanne lärmte und im ganzen Garten das welke Laub so fahl und erstorben klirrte, brachten noch ein Lied, ein Erlebnis, eine Geschichte mit, bis wieder alles hinsank, Schnee vor den Fenstern fiel und Palmenwälder an den Scheiben wuchsen, Engel mit silbernen Glocken durch den Abend flogen und Flur und Boden nach gedörrtem Obst dufteten. Niemals erlosch Freundschaft und Vertrauen in dieser guten Welt, und wenn einmal unversehens wieder Schneeglöckchen neben dem schwarzen Efeulaub strahlten und erste Vögel hoch durch neue blaue Höhen flogen, so war es, als sei alles immerfort dagewesen. Bis eines Tages, nie erwartet und doch immer genau wie es sein mußte und immer gleich erwünscht, wieder eine erste bläuliche Blütenspitze aus den Schwertlilienstengeln schaute.

Alles war schön, alles war Anselm willkommen, befreundet und vertraut, aber der größte Augenblick des Zaubers und der Gnade war in jedem Jahr für den Knaben die erste Schwertlilie. In ihrem Kelch hatte er irgendeinmal, im frühsten Kindestraum, zum erstenmal im Buch der Wunder gelesen, ihr Duft und wehendes vielfaches Blau war ihm Anruf und Schlüssel der Schöpfung gewesen. So ging die Schwertlilie mit ihm durch alle Jahre seiner Unschuld, war in jedem neuen Sommer neu, geheimnisreicher und rührender geworden. Auch andre Blumen hatten einen Mund, auch andre Blumen sandten Duft und Gedanken aus, auch andre lockten Biene und Käfer in ihre kleinen, süßen Kammern. Aber die blaue Lilie war dem Knaben mehr als jede andre Blume lieb und wichtig geworden, sie wurde ihm Gleichnis und Beispiel alles Nachdenkenswerten und Wunderbaren. Wenn er in ihren Kelch blickte und versunken diesem hellen träumerischen Pfad mit seinen Gedanken folgte, zwischen den gelben wunderlichen Gestäuden dem verdämmernden Blumeninnern entgegen, dann blickte seine Seele in das Tor, wo die Erscheinung zum Rätsel und das Sehen zum Ahnen wird. Er träumte auch bei Nacht zuweilen von diesem Blumenkelch, sah ihn ungeheuer groß vor sich geöffnet wie das Tor eines himmlischen Palastes, ritt auf Pferden, flog auf Schwänen hinein, und mit ihm flog und ritt und glitt die ganze Welt leise, von Magie gezogen, in den holden Schlund hinein und hinab, wo jede Erwartung zur Erfüllung und jede Ahnung Wahrheit werden mußte.

Jede Erscheinung auf Erden ist ein Gleichnis, und jedes Gleichnis ist ein offnes Tor, durch welches die Seele, wenn sie bereit ist, in das Innere der Welt zu gehen vermag, wo du und ich Tag und Nacht alle eines sind. Jedem Menschen tritt hier und dort in seinem Leben das geöffnete Tor in den Weg, jeden fliegt irgendeinmal der Gedanke an, daß alles Sichtbare ein Gleichnis sei, und daß hinter dem Gleichnis der Geist und das ewige Leben wohne. Wenige freilich gehen durch das Tor und geben den schönen Schein dahin für die geahnte Wirklichkeit des Innern.

So erschien dem Knaben Anselm sein Blumenkelch als die aufgetane, stille Frage, der seine Seele in quellender Ahnung einer seligen Antwort entgegendrängte. Dann wieder zog das liebliche Vielerlei der Dinge ihn hinweg, in Gesprächen und Spielen zu Gras und Steinen, Wurzeln, Busch, Getier und allen Freundlichkeiten seiner Welt. Oft sank er tief in die Betrachtung seiner selbst hinab, er saß hingegeben an die Merkwürdigkeiten seines Leibes, fühlte mit geschlossenen Augen beim Schlucken, beim Singen, beim Atmen sonderbare Regungen, Gefühle und Vorstellungen im Munde und im Hals, fühlte auch dort dem Pfad und dem Tore nach, auf denen Seele zu Seele gehen kann. Mit Bewunderung beobachtete er die bedeutsamen Farbenfiguren, die bei geschlossenen Augen ihm oft aus purpurfarbenem Dunkel erschienen, Flecken und Halbkreise von Blau und tiefem Rot, glasig helle Linien dazwischen. Manchmal empfand Anselm mit froh erschrockener Bewegung die feinen, hundertfachen Zusammenhänge zwischen Auge und Ohr, Geruch und Getast, fühlte für schöne flüchtige Augenblicke Töne, Laute, Buchstaben verwandt und gleich mit Rot und Blau, mit Hart und Weich, oder wunderte sich beim Riechen an einem Kraut oder an einer abgeschälten grünen Rinde, wie sonderbar nahe Geruch und Geschmack beisammen waren und oft ineinander übergingen und eins wurden.

Alle Kinder fühlen so, wennschon nicht alle mit derselben Stärke und Zartheit, und bei vielen ist dies alles schon hinweg und wie nie gewesen, noch ehe sie den ersten Buchstaben haben lesen lernen. Andern bleibt das Geheimnis der Kindheit lange nah, und einen Rest und Nachhall davon nehmen sie bis zu den weißen Haaren und den späten müden Tagen mit sich. Alle Kinder, solange sie noch im Geheimnis stehen, sind ohne Unterlaß in der Seele mit dem einzig Wichtigen beschäftigt, mit sich selbst und mit dem rätselhaften Zusammenhang ihrer eignen Person mit der Welt ringsumher. Sucher und Weise kehren mit den Jahren der Reife zu diesen Beschäftigungen zurück, die meisten Menschen aber vergessen und verlassen diese innere Welt des wahrhaft Wichtigen schon früh für immer und irren lebenslang in den bunten Irrsalen von Sorgen, Wünschen und Zielen umher, deren keines in ihrem Innersten wohnt, deren keines sie wieder zu ihrem Innersten und nach Hause führt.

Anselms Kindersommer und -herbste kamen sanft und gingen ungehört, wieder und wieder blühte und verblühte Schneeglocke, Veilchen, Goldlack, Lilie, Immergrün und Rose, schön und reich wie je. Er lebte mit, ihm sprach Blume und Vogel, ihm hörte Baum und Brunnen zu, und er nahm seinen ersten geschriebenen Buchstaben und seinen ersten Freundschaftskummer in alter Weise mit hinüber zum Garten, zur Mutter, zu den bunten Steinen am Beet.

Aber einmal kam ein Frühling, der klang und roch nicht wie die frühern alle, die Amsel sang und es war nicht das alte Lied, die blaue Iris blühte auf und keine Träume und Märchengestalten wandelten aus und ein auf dem goldgezäunten Pfad ihres Kelches. Es lachten die Erdbeeren versteckt aus ihrem grünen Schatten, und die Falter taumelten glänzend über den hohen Dolden, und alles war nicht mehr wie immer, und andre Dinge gingen den Knaben an, und mit der Mutter hatte er viel Streit. Er wußte selber nicht, was es war, und warum ihm etwas weh tat und etwas immerfort ihn störte. Er sah nur, die Welt war verändert und die Freundschaften der bisherigen Zeit fielen von ihm ab und ließen ihn allein.

So ging ein Jahr, und es ging noch eines, und Anselm war kein Kind mehr, und die bunten Steine um das Beet waren langweilig, und die Blumen stumm, und die Käfer hatte er auf Nadeln in einem Kasten stecken, und seine Seele hatte den langen, harten Umweg angetreten, und die alten Freuden waren versiegt und verdorrt.

Ungestüm drang der junge Mensch ins Leben, das ihm nun erst zu beginnen schien. Verweht und vergessen war die Welt der Gleichnisse, neue Wünsche und Wege lockten ihn hinweg. Noch hing Kindheit ihm wie ein Duft im blauen Blick und im weichen Haar, doch liebte er es nicht, wenn er daran erinnert wurde, und schnitt die Haare kurz und tat in seinen Blick so viel Kühnheit und Wissen als er vermochte. Launisch stürmte er durch die bangen, wartenden Jahre, guter Schüler bald und Freund, bald allein und scheu, einmal in Büchern vergraben bis in die Nächte, einmal wild und laut bei ersten Jünglingsgelagen. Die Heimat hatte er verlassen müssen und sah sie nur selten auf kurzen Besuchen wieder, wenn er verändert, gewachsen und fein gekleidet heim zur Mutter kam. Er brachte Freunde mit, brachte Bücher mit, immer anderes, und wenn er durch den alten Garten ging, war der Garten klein und schwieg vor seinem zerstreuten Blick. Nie mehr las er Geschichten im bunten Geäder der Steine und der Blätter, nie mehr sah er Gott und die Ewigkeit im Blütengeheimnis der blauen Iris wohnen.

Anselm war Schüler, war Student, er kehrte in die Heimat mit einer roten und dann mit einer gelben Mütze, mit einem Flaum auf der Lippe und mit einem jungen Bart. Er brachte Bücher in fremden Sprachen mit, und einmal einen Hund, und in einer Ledermappe auf der Brust trug er bald verschwiegene Gedichte, bald Abschriften uralter Weisheiten, bald Bildnisse und Briefe hübscher Mädchen. Er kehrte wieder und war weit in fremden Ländern gewesen und hatte auf großen Schiffen auf dem Meer gewohnt. Er kehrte wieder und war ein junger Gelehrter, trug einen schwarzen Hut und dunkle Handschuhe, und die alten Nachbarn zogen die Hüte vor ihm und nannten ihn Professor, obschon er noch keiner war. Er kam wieder und trug schwarze Kleider, und ging schlank und ernst hinter dem langsamen Wagen her, auf dem seine alte Mutter im geschmückten Sarge lag. Und dann kam er selten mehr.

In der Großstadt, wo Anselm jetzt die Studenten lehrte und für einen berühmten Gelehrten galt, da ging er, spazierte, saß und stand genau wie andre Leute der Welt, im feinen Rock und Hut, ernst oder freundlich, mit eifrigen und manchmal etwas ermüdeten Augen, und war ein Herr und ein Forscher, wie er es hatte werden wollen. Nun ging es ihm ähnlich wie es ihm am Ende seiner Kindheit gegangen war. Er fühlte plötzlich viele Jahre hinter sich weggeglitten, und stand seltsam allein und unbefriedigt mitten in der Welt, nach der er immer getrachtet hatte. Es war kein rechtes Glück, Professor zu sein, es war keine volle Lust, von Bürgern und Studenten tief gegrüßt zu werden. Es war alles wie welk und verstaubt, und das Glück lag wieder weit in der Zukunft, und der Weg dahin sah heiß und staubig und gewöhnlich aus.

In dieser Zeit kam Anselm viel in das Haus eines Freundes, dessen Schwester ihn anzog. Er lief jetzt nicht mehr leicht einem hübschen Gesichte nach, auch das war anders geworden, und er fühlte, daß das Glück für ihn auf besondere Weise kommen müsse und nicht hinter jedem Fenster liegen könne. Die Schwester seines Freundes gefiel ihm sehr, und oft glaubte er zu wissen, daß er sie wahrhaft liebe. Aber sie war ein besonderes Mädchen, jeder Schritt und jedes Wort von ihr war eigen gefärbt und geprägt, und es war nicht immer leicht, mit ihr zu gehen und den gleichen Schritt mit ihr zu finden. Wenn Anselm zuweilen in seiner einsamen Wohnung am Abend auf und nieder ging und nachdenklich seinem eigenen Schritt durch die leeren Stuben zuhörte, dann stritt er viel mit sich selber wegen seiner Freundin. Sie war älter, als er sich seine Frau gewünscht hätte. Sie war sehr eigen, und es würde schwierig sein, neben ihr zu leben und seinem gelehrten Ehrgeiz zu folgen, denn von dem mochte sie nichts hören. Auch war sie nicht sehr stark und gesund, und konnte namentlich Gesellschaft und Feste schlecht ertragen. Am liebsten lebte sie, mit Blumen und Musik und etwa einem Buch um sich, in einsamer Stille, wartete, ob jemand zu ihr käme, und ließ die Welt ihren Gang gehen. Manchmal war sie so zart und empfindlich, daß alles Fremde ihr weh tat und sie leicht zum Weinen brachte. Dann wieder strahlte sie still und fein in einem einsamen Glück, und wer es sah, der fühlte, wie schwer es sei, dieser schönen seltsamen Frau etwas zu geben und etwas für sie zu bedeuten. Oft glaubte Anselm, daß sie ihn lieb habe, oft schien ihm, sie habe niemanden lieb, sei nur mit allen zart und freundlich, und begehre von der Welt nichts, als in Ruhe gelassen zu werden. Er aber wollte anderes vom Leben, und wenn er eine Frau haben würde, so müßte Leben und Klang und Gastlichkeit im Hause sein.

»Iris«, sagte er zu ihr, »liebe Iris, wenn doch die Welt

anders eingerichtet wäre! Wenn es gar nichts gäbe als deine schöne, sanfte Welt mit Blumen, Gedanken und Musik, dann wollte ich mir nichts andres wünschen als mein Leben lang bei dir zu sein, deine Geschichten zu hören und in deinen Gedanken mitzuleben. Schon dein Name tut mir wohl, Iris ist ein wundervoller Name, ich weiß gar nicht, woran er mich erinnert.«

»Du weißt doch«, sagte sie, »daß die blauen und gelben Schwertlilien so heißen.«

»Ja«, rief er in einem beklommenen Gefühl, »das weiß ich wohl, und schon das ist sehr schön. Aber immer wenn ich deinen Namen sage, will er mich noch außerdem an irgend etwas mahnen, ich weiß nicht was, als sei er mir mit ganz tiefen, fernen, wichtigen Erinnerungen verknüpft, und doch weiß und finde ich nicht, was das sein könnte.«

Iris lächelte ihn an, der ratlos stand und mit der Hand seine Stirne rieb.

»Mir geht es jedesmal so«, sagte sie mit ihrer vogelleichten Stimme zu Anselm, »wenn ich an einer Blume rieche. Dann meint mein Herz jedesmal, mit dem Duft sei ein Andenken an etwas überaus Schönes und Kostbares verbunden, das einmal vorzeiten mein war und mir verlorengegangen ist. Mit der Musik ist es auch so, und manchmal mit Gedichten – da blitzt auf einmal etwas auf, einen Augenblick lang, wie wenn man eine verlorene Heimat plötzlich unter sich im Tale liegen sähe, und ist gleich wieder weg und vergessen. Lieber Anselm, ich glaube, daß wir zu diesem Sinn auf Erden sind, zu diesem Nachsinnen und Suchen und Horchen auf verlorene ferne Töne, und hinter ihnen liegt unsere wahre Heimat.«

»Wie schön du das sagst«, schmeichelte Anselm, und

er fühlte in der eigenen Brust eine fast schmerzende Bewegung, als weise dort ein verborgener Kompaß unweigerlich seinem fernen Ziele zu. Aber dieses Ziel war ganz ein andres, als er es seinem Leben geben wollte, und das tat weh, und war es denn seiner würdig, sein Leben in Träumen hinter hübschen Märchen her zu verspielen?

Indessen kam ein Tag, da war Herr Anselm von einer einsamen Reise heimgekehrt und fand sich von seiner kahlen Gelehrtenwohnung so kalt und bedrückend empfangen, daß er zu seinen Freunden lief und gesonnen war, die schöne Iris um ihre Hand zu bitten.

»Iris«, sagte er zu ihr, »ich mag so nicht weiterleben. Du bist immer meine gute Freundin gewesen, ich muß dir alles sagen. Ich muß eine Frau haben, sonst fühle ich mein Leben leer und ohne Sinn. Und wen sollte ich mir zur Frau wünschen, als dich, du liebe Blume? Willst du, Iris? Du sollst Blumen haben, so viele nur zu finden sind, den schönsten Garten sollst du haben. Magst du zu mir kommen?«

Iris sah ihm lang und ruhig in die Augen, sie lächelte nicht und errötete nicht, und gab ihm mit fester Stimme Antwort:

»Anselm, ich bin über deine Frage nicht erstaunt. Ich habe dich lieb, obschon ich nie daran gedacht habe, deine Frau zu werden. Aber sieh, mein Freund, ich mache große Ansprüche an den, dessen Frau ich werden soll. Ich mache größere Ansprüche, als die meisten Frauen machen. Du hast mir Blumen angeboten, und meinst es gut damit. Aber ich kann auch ohne Blumen leben, und auch ohne Musik, ich könnte alles das und viel andres wohl entbehren, wenn es sein müßte. Eins aber kann und will ich nie entbehren: ich kann niemals auch nur einen Tag lang so leben, daß nicht die

Musik in meinem Herzen mir die Hauptsache ist. Wenn ich mit einem Manne leben soll, so muß es einer sein, dessen innere Musik mit der meinen gut und fein zusammenstimmt, und daß seine eigene Musik rein und daß sie gut zu meiner klinge, muß sein einziges Begehren sein. Kannst du das, Freund? Du wirst dabei wahrscheinlich nicht weiter berühmt werden und Ehren erfahren, dein Haus wird still sein, und die Falten, die ich auf deiner Stirn seit manchem Jahr her kenne, müssen alle wieder ausgetan werden. Ach, Anselm, es wird nicht gehen. Sieh, du bist so, daß du immer neue Falten in deine Stirne studieren und dir immer neue Sorgen machen mußt, und was ich sinne und bin, das liebst du wohl und findest es hübsch, aber es ist für dich wie für die meisten doch bloß ein feines Spielzeug. Ach, höre mich wohl: alles, was dir jetzt Spielzeug ist, ist mir das Leben selbst und müßte es auch dir sein, und alles, woran du Mühe und Sorge wendest, das ist für mich ein Spielzeug, ist für meinen Sinn nicht wert, daß man dafür lebe. – Ich werde nicht mehr anders werden, Anselm, denn ich lebe nach einem Gesetz, das in mir ist. Wirst aber du anders werden können? Und du müßtest ganz anders werden, damit ich deine Frau sein könnte.«

Anselm schwieg betroffen vor ihrem Willen, den er schwach und spielerisch gemeint hatte. Er schwieg und zerdrückte achtlos in der erregten Hand eine Blume, die er vom Tisch genommen hatte.

Da nahm ihm Iris sanft die Blume aus der Hand – es fuhr ihm wie ein schwerer Vorwurf ins Herz – und lächelte nun plötzlich hell und liebevoll, als habe sie ungehofft einen Weg aus dem Dunkel gefunden.

»Ich habe einen Gedanken«, sagte sie leise, und errötete dabei. »Du wirst ihn sonderbar finden, er wird dir eine Laune scheinen. Aber er ist keine Laune. Willst du ihn hören? Und willst du ihn annehmen, daß er über dich und mich entscheiden soll?«

Ohne sie zu verstehen, blickte Anselm seine Freundin an, Sorge in den blassen Zügen. Ihr Lächeln bezwang ihn, daß er Vertrauen faßte und ja sagte.

»Ich möchte dir eine Aufgabe stellen«, sagte Iris und wurde rasch wieder sehr ernst.

»Tue das, es ist dein Recht«, ergab sich der Freund.

»Es ist mein Ernst«, sagte sie, »und mein letztes Wort. Willst du es hinnehmen, wie es mir aus der Seele kommt, und nicht daran markten und feilschen, auch wenn du es nicht sogleich verstehst?«

Anselm versprach es. Da sagte sie, indem sie aufstand und ihm die Hand gab:

»Mehrmals hast du mir gesagt, daß du beim Aussprechen meines Namens jedesmal dich an etwas Vergessenes erinnert fühlst, was dir einst wichtig und heilig war. Das ist ein Zeichen, Anselm, und das hat dich alle die Jahre zu mir hingezogen. Auch ich glaube, daß du in deiner Seele Wichtiges und Heiliges verloren und vergessen hast, was erst wieder wach sein muß, ehe du ein Glück finden und das dir Bestimmte erreichen kannst. — Leb wohl, Anselm! Ich gebe dir die Hand und bitte dich: Geh und sieh, daß du das in deinem Gedächtnis wiederfindest, woran du durch meinen Namen erinnert wirst. Am Tage, wo du es wiedergefunden hast, will ich als deine Frau mit dir hingehen, wohin du willst, und keine Wünsche mehr haben, als deine.«

Bestürzt wollte der verwirrte Anselm ihr ins Wort fallen und diese Forderung eine Laune schelten, aber sie mahnte ihn mit einem klaren Blick an sein Versprechen, und er schwieg still. Mit niedergeschlagenen Augen nahm er ihre Hand, zog sie an seine Lippen und ging hinaus.

Manche Aufgaben hatte er in seinem Leben auf sich genommen und gelöst, aber keine war so seltsam, wichtig und dabei so entmutigend gewesen wie diese. Tage und Tage lief er umher und sann sich daran müde, und immer wieder kam die Stunde, wo er verzweifelt und zornig diese ganze Aufgabe eine verrückte Weiberlaune schalt und in Gedanken von sich warf. Dann aber widersprach tief in seinem Innern etwas, ein sehr feiner, heimlicher Schmerz, eine ganz zarte, kaum hörbare Mahnung. Diese feine Stimme, die in seinem eigenen Herzen war, gab Iris recht und tat dieselbe Forderung wie sie.

Allein diese Aufgabe war allzu schwer für den gelehrten Mann. Er sollte sich an etwas erinnern, was er längst vergessen hatte, er sollte einen einzelnen, goldenen Faden aus dem Spinnweb untergesunkener Jahre wiederfinden, er sollte etwas mit Händen greifen und seiner Geliebten darbringen, was nichts war als ein verwehter Vogelruf, ein Anflug von Lust oder Trauer beim Hören einer Musik, was dünner, flüchtiger und körperloser war als ein Gedanke, nichtiger als ein nächtlicher Traum, unbestimmter als ein Morgennebel.

Manchmal, wenn er verzagend das alles von sich geworfen und voll übler Laune aufgegeben hatte, dann wehte ihn unversehens etwas an wie ein Hauch aus fernen Gärten, er flüsterte den Namen Iris vor sich hin, zehnmal und mehrmal, leise und spielend, wie man einen Ton auf einer gespannten Saite prüft. »Iris«, flüsterte er, »Iris«, und mit feinem Weh fühlte er in sich innen etwas sich bewegen, wie in einem alten verlassenen Hause ohne Anlaß eine Tür aufgeht und ein Laden knarrt. Er prüfte seine Erinnerungen, die er wohl geordnet in sich zu tragen geglaubt hatte, und er kam dabei auf wunderliche und bestürzende Entdeckungen. Sein Schatz an Erinnerungen war unendlich viel kleiner, als er je gedacht hätte. Ganze Jahre fehlten und standen leer wie unbeschriebene Blätter, wenn er zurückdachte. Er fand, daß er große Mühe hatte, sich das Bild seiner Mutter wieder deutlich vorzustellen. Er hatte vollkommen vergessen, wie ein Mädchen hieß, daß er als Jüngling wohl ein Jahr lang mit brennender Werbung verfolgt hatte. Ein Hund fiel ihm ein, den er einst als Student in einer Laune gekauft und der eine Zeitlang mit ihm gewohnt und gelebt hatte. Er brauchte Tage, bis er wieder auf des Hundes Namen kam.

Schmerzvoll sah der arme Mann mit wachsender Trauer und Angst, wie zerronnen und leer sein Leben hinter ihm lag, nicht mehr zu ihm gehörig, ihm fremd und ohne Beziehung zu ihm wie etwas, was man einst auswendig gelernt hat und wovon man nun mit Mühe noch öde Bruchstücke zusammenbringt. Er begann zu schreiben, er wollte, Jahr um Jahr zurück, seine wichtigsten Erlebnisse niederschreiben, um sie einmal wieder fest in Händen zu haben. Aber wo waren seine wichtigsten Erlebnisse? Daß er Professor geworden war? Daß er einmal Doktor, einmal Schüler, einmal Student gewesen war? Oder daß ihm einmal, in verschollenen Zeiten, dies Mädchen oder jenes eine Weile gefallen hatte. Erschreckend blickte er auf: war das das Leben? War dies alles? Und er schlug sich vor die Stirn und lachte gewaltsam.

Indessen lief die Zeit, nie war sie so schnell und unerbittlich gelaufen! Ein Jahr war um, und ihm schien, er stehe noch genau am selben Ort wie in der Stunde, da er Iris verlassen. Doch hatte er sich in dieser Zeit sehr verändert, was außer ihm ein jeder sah und wußte.

Er war sowohl älter wie jünger geworden. Seinen Bekannten war er fast fremd geworden, man fand ihn zerstreut, launisch und sonderbar, er kam in den Ruf eines seltsamen Kauzes, für den es schade sei, aber er sei zu lange Junggesell geblieben. Es kam vor, daß er seine Pflichten vergaß und daß seine Schüler vergebens auf ihn warteten. Es geschah, daß er gedankenvoll durch eine Straße schlich, den Häusern nach, und mit dem verwahrlosten Rock im Hinstreifen den Staub von den Gesimsen wischte. Manche meinten, er habe zu trinken angefangen. Andre Male aber hielt er mitten in einem Vortrag vor seinen Schülern inne, suchte sich auf etwas zu besinnen, lächelte kindlich und herzbezwingend, wie es niemand an ihm gekannt hatte, und fuhr mit einem Ton der Wärme und Rührung fort, der vielen zu Herzen ging.

Längst war ihm auf dem hoffnungslosen Streifzug hinter den Düften und verwehten Spuren ferner Jahre her ein neuer Sinn zugekommen, von dem er jedoch selbst nichts wußte. Es war ihm öfter und öfter vorgekommen, daß hinter dem, was er bisher Erinnerungen genannt, noch andre Erinnerungen lagen, wie auf einer alten bemalten Wand zuweilen hinter den alten Bildern noch ältere, einst übermalte verborgen schlummern. Er wollte sich auf irgend etwas besinnen, etwa auf den Namen einer Stadt, in der er als Reisender einmal Tage verbracht hatte, oder auf den Geburtstag eines Freundes, oder auf irgend etwas, und indem er nun ein kleines Stück Vergangenheit wie Schutt durchgrub und durchwühlte, fiel ihm plötzlich etwas ganz anderes ein. Es überfiel ihn ein Hauch, wie ein Aprilmorgenwind oder wie ein Septembernebeltag, er roch einen Duft, er schmeckte einen Geschmack, er fühlte dunkle zarte Gefühle irgendwo, auf der Haut, in den

Augen, im Herzen, und langsam wurde ihm klar: es müsse einst ein Tag gewesen sein, blau, warm, oder kühl, grau, oder irgend sonst ein Tag, und das Wesen dieses Tages müsse in ihm sich verfangen haben und als dunkle Erinnerung hängengeblieben sein. Er konnte den Frühlings- oder Wintertag, den er deutlich roch und fühlte, nicht in der wirklichen Vergangenheit wiederfinden, es waren keine Namen und Zahlen dabei, vielleicht war es in der Studentenzeit, vielleicht noch in der Wiege gewesen, aber der Duft war da, und er fühlte etwas in sich lebendig, wovon er nicht wußte und was er nicht nennen und bestimmen konnte. Manchmal schien ihm, es könnten diese Erinnerungen wohl auch über das Leben zurück in Vergangenheiten eines vorigen Daseins reichen, obwohl er darüber lächelte.

Vieles fand Anselm auf seinen ratlosen Wanderungen durch die Schlünde des Gedächtnisses. Vieles fand er, was ihn rührte und ergriff, und vieles, was erschreckte und Angst machte, aber das eine fand er nicht, was der Name Iris für ihn bedeute.

Einstmals suchte er auch, in der Qual des Nichtfindenkönnens, seine alte Heimat wieder auf, sah die Wälder und Gassen, die Stege und Zäune wieder, stand im alten Garten seiner Kindheit und fühlte die Wogen über sein Herz fluten, Vergangenheit umspann ihn wie Traum. Traurig und still kam er von dort zurück. Er ließ sich krank sagen und jeden wegschicken, der zu ihm begehrte.

Einer kam dennoch zu ihm. Es war sein Freund, den er seit seiner Werbung um Iris nicht mehr gesehen hatte. Er kam und sah Anselm verwahrlost in seiner freudlosen Klause sitzen.

»Steh auf«, sagte er zu ihm, »und komm mit mir. Iris will dich sehen.«

Anselm sprang empor.

»Iris! Was ist mit ihr? – O ich weiß, ich weiß!«

»Ja«, sagte der Freund, »komm mit! Sie will sterben, sie liegt seit langem krank.«

Sie gingen zu Iris, die lag auf einem Ruhebett leicht und schmal wie ein Kind, und lächelte hell aus vergrößerten Augen. Sie gab Anselm ihre weiße leichte Kinderhand, die lag wie eine Blume in seiner, und ihr Gesicht war wie verklärt.

»Anselm«, sagte sie, »bist du mir böse? Ich habe dir eine schwere Aufgabe gestellt, und ich sehe, du bist ihr treu geblieben. Suche weiter, und gehe diesen Weg, bis du am Ziele bist! Du meintest ihn meinetwegen zu gehen, aber du gehst ihn deinetwegen. Weißt du das?«

»Ich ahnte es«, sagte Anselm, »und nun weiß ich es. Es ist ein langer Weg, Iris, und ich wäre längst zurückgegangen, aber ich finde keinen Rückweg mehr. Ich weiß nicht, was aus mir werden soll.«

Sie blickte ihm in die traurigen Augen und lächelte licht und tröstlich, er bückte sich über ihr dünne Hand und weinte lang, daß ihre Hand naß von seinen Tränen wurde.

»Was aus dir werden soll«, sagte sie mit einer Stimme, die nur wie Erinnerungsschein war, »was aus dir werden soll, mußt du nicht fragen. Du hast viel gesucht in deinem Leben. Du hast die Ehre gesucht, und das Glück, und das Wissen, und hast mich gesucht, deine kleine Iris. Das alles sind nur hübsche Bilder gewesen, und sie verließen dich, wie ich dich nun verlassen muß. Auch mir ist es so gegangen. Immer habe ich gesucht, und immer waren es schöne liebe Bilder, und immer wieder fielen sie ab und waren verblüht. Ich weiß nun keine Bilder mehr, ich suche nichts mehr, ich bin heimgekehrt und habe nur noch einen kleinen Schritt zu tun, dann bin ich in der Heimat. Auch du wirst dorthin kommen, Anselm, und wirst dann keine Falten mehr auf deiner Stirn haben.«

Sie war so bleich, daß Anselm verzweifelt rief: »O warte noch, Iris, geh noch nicht fort! Laß mir ein Zeichen da, daß du mir nicht ganz verlorengehst!«

Sie nickte und griff neben sich in ein Glas, und gab ihm eine frisch aufgeblühte blaue Schwertlilie.

»Da nimm meine Blume, die Iris, und vergiß mich nicht. Suche mich, suche die Iris, dann wirst du zu mir kommen.«

Weinend hielt Anselm die Blume in Händen, und nahm weinend Abschied. Als der Freund ihm Botschaft sandte, kam er wieder und half ihren Sarg mit Blumen schmücken und zur Erde bringen.

Dann brach sein Leben hinter ihm zusammen, es schien ihm nicht möglich, diesen Faden fortzuspinnen. Er gab alles auf, verließ Stadt und Amt, und verscholl in der Welt. Hier und dort wurde er gesehen, in seiner Heimat tauchte er auf und lehnte sich über den Zaun des alten Gartens, aber wenn die Leute nach ihm fragen und sich um ihn annehmen wollten, war er weg und verschwunden.

Die Schwertlilie blieb ihm lieb. Oft bückte er sich über eine, wo immer er sie stehen sah, und wenn er lang den Blick in ihren Kelch versenkte, schien ihm aus dem bläulichen Grunde Duft und Ahnung alles Gewesenen und Künftigen entgegenzuwehen, bis er traurig weiterging, weil die Erfüllung nicht kam. Ihm war, als lauschte er an einer halb offen stehenden Tür, und höre lieblichstes Geheimnis hinter ihr atmen, und wenn er eben meinte, jetzt und jetzt müsse alles sich ihm geben und erfüllen, war die Tür zugefallen und der Wind der Welt strich kühl über seine Einsamkeit.

In seinen Träumen sprach die Mutter zu ihm, deren Gestalt und Gesicht er nun so deutlich und nahe fühlte wie in langen Jahren nie. Und Iris sprach zu ihm, und wenn er erwachte, klang ihm etwas nach, woran zu sinnen er den ganzen Tag verweilte. Er war ohne Stätte, fremd lief er durch die Lande, schlief in Häusern, schlief in Wäldern, aß Brot oder aß Beeren, trank Wein oder trank Tau aus den Blättern der Gebüsche, er wußte nichts davon. Vielen war er ein Narr, vielen war er ein Zauberer, viele fürchteten ihn, viele lachten über ihn, viele liebten ihn. Er lernte, was er nie gekonnt, bei Kindern sein und an ihren seltsamen Spielen teilhaben, mit einem abgebrochenen Zweig und mit einem Steinchen reden. Winter und Sommer liefen an ihm vorbei, in Blumenkelche schaute er und in Bach und See.

»Bilder«, sagte er zuweilen vor sich hin, »alles nur Bilder.«

Aber in sich innen fühlte er ein Wesen, das nicht Bild war, dem folgte er, und das Wesen in ihm konnte zuzeiten sprechen, und seine Stimme war die der Iris und die der Mutter, und sie war Trost und Hoffnung.

Wunder begegneten ihm, und sie wunderten ihn nicht. Und so ging er einst im Schnee durch einen winterlichen Grund, und an seinem Bart war Eis gewachsen. Und im Schnee stand spitz und schlank eine Irispflanze, die trieb eine schöne einsame Blüte, und er bückte sich zu ihr und lächelte, denn nun erkannte er das, woran ihn die Iris immer und immer gemahnt hatte. Er erkannte seinen Kindestraum wieder, und sah zwischen goldenen Stäben die lichtblaue Bahn hellgeädert in das Geheimnis und Herz der Blume führen, und wußte, dort war das, was er suchte, dort war das Wesen, das kein Bild mehr ist.

Und wieder trafen ihn Mahnungen, Träume führten ihn, und er kam zu einer Hütte, da waren Kinder, die gaben ihm Milch, und er spielte mit ihnen, und sie erzählten ihm Geschichten, und erzählten ihm, im Wald bei den Köhlern sei ein Wunder geschehen. Da sehe man die Geisterpforte offen stehen, die nur alle tausend Jahr sich öffne. Er hörte zu und nickte dem lieben Bilde zu, und ging weiter, ein Vogel sang vor ihm im Erlengebüsch, der hatte eine seltene, süße Stimme, wie die Stimme der gestorbenen Iris. Dem folgte er, er flog und hüpfte weiter und weiter, über den Bach und weit in alle Wälder hinein.

Als der Vogel schwieg und nicht zu hören noch zu sehen mehr war, da blieb Anselm stehen und sah sich um. Er stand in einem tiefen Tal im Walde, unter breiten grünen Blättern rann leise ein Gewässer, sonst war alles still und wartend. In seiner Brust aber sang der Vogel fort, mit der geliebten Stimme, und trieb ihn weiter, bis er vor einer Felswand stand, die war mit Moos bewachsen, und in ihrer Mitte klaffte ein Spalt, der führte schmal und eng ins Innere des Berges.

Ein alter Mann saß vor dem Spalt, der erhob sich, als er Anselm kommen sah, und rief: »Zurück, du Mann, zurück! Das ist das Geistertor. Es ist noch keiner wiedergekommen, der da hineingegangen ist.«

Anselm blickte empor und in das Felsentor, da sah er tief in den Berg einen blauen Pfad sich verlieren, und goldene Säulen standen dicht zu beiden Seiten, und der Pfad sank nach innen hinabwärts wie in den Kelch einer ungeheuren Blume hinunter.

In seiner Brust sang der Vogel hell, und Anselm schritt an dem Wächter vorüber in den Spalt und durch die goldnen Säulen hin ins blaue Geheimnis des Innern. Es war Iris, in deren Herz er drang, und es war die

Schwertlilie im Garten der Mutter, in deren blauen Kelch er schwebend trat, und als er still der goldnen Dämmerung entgegenging, da war alle Erinnerung und alles Wissen mit einem Male bei ihm, er fühlte seine Hand, und sie war klein und weich, Stimmen der Liebe klangen nah und vertraut in sein Ohr, und sie klangen so, und die goldnen Säulen glänzten so, wie damals in den Frühlingen der Kindheit alles ihm getönt und geleuchtet hatte.

Und auch sein Traum war wieder da, den er als kleiner Knabe geträumt, daß er in den Kelch hinabschritt, und hinter ihm schritt und glitt die ganze Welt der Bilder mit, und versank im Geheimnis, das hinter allen Bildern liegt.

Leise fing Anselm an zu singen, und sein Pfad sank leise abwärts in die Heimat.

PIKTORS VERWANDLUNGEN

Kaum hatte Piktor das Paradies betreten, so stand er vor einem Baume, der war zugleich Mann und Frau. Piktor grüßte den Baum mit Ehrfurcht und fragte: »Bist du der Baum des Lebens?« Als aber statt des Baumes die Schlange ihm Antwort geben wollte, wandte er sich ab und ging weiter. Er war ganz Auge, alles gefiel ihm so sehr. Deutlich spürte er, daß er in der Heimat und am Quell des Lebens sei.

Und wieder sah er einen Baum, der war zugleich Sonne und Mond.

Sprach Piktor: »Bist du der Baum des Lebens?«

Die Sonne nickte und lachte, der Mond nickte und lächelte.

Die wunderbarsten Blumen blickten ihn an, mit vielerlei Farben und Lichtern, mit vielerlei Augen und Gesichtern. Einige nickten und lachten, einige nickten und lächelten, andere nickten nicht und lächelten nicht: sie schwiegen trunken, in sich selbst versunken, im eigenen Dufte wie ertrunken. Eine sang das Lila-Lied, eine sang das dunkelblaue Schlummerlied. Eine von den Blumen hatte große blaue Augen, eine andre erinnerte ihn an seine erste Liebe. Eine roch nach dem Garten der Kindheit, wie die Stimme der Mutter klang ihr süßer Duft. Eine andere lachte ihn an und streckte ihm eine gebogene rote Zunge lang entgegen. Er leckte daran, es schmeckte stark und wild, nach Harz und Honig, und auch nach dem Kuß einer Frau.

Zwischen all den Blumen stand Piktor voll Sehnsucht und banger Freude. Sein Herz, als ob es eine Glocke wär, schlug schwer, schlug sehr; es brannte ins Unbekannte, ins zauberhaft Geahnte sehnlich sein Begehr.

Einen Vogel sah Piktor sitzen, sah ihn im Grase sitzen und von Farben blitzen, alle Farben schien der schöne Vogel zu besitzen. Den schönen bunten Vogel fragte er: »O Vogel, wo ist denn das Glück?«

»Das Glück?« sprach der schöne Vogel und lachte mit seinem goldenen Schnabel, »das Glück, o Freund, ist überall, in Berg und Tal, in Blume und Kristall.«

Mit diesen Worten schüttelte der frohe Vogel sein Gefieder, ruckte mit dem Hals, wippte mit dem Schwanz, zwinkerte mit dem Auge, lachte noch einmal, dann blieb er regungslos sitzen, saß still im Gras, und siehe: der Vogel war jetzt zu einer bunten Blume geworden, die Federn Blätter, die Krallen Wurzeln. Im Farbenglanze, mitten im Tanze, ward er zur Pflanze. Verwundert sah es Piktor.

Und gleich darauf bewegte die Vogelblume ihre Blätter und Staubfäden, hatte das Blumentum schon wieder satt, hatte keine Wurzeln mehr, rührte sich leicht, schwebte langsam empor, und war ein glänzender Schmetterling geworden, der wiegte sich schwebend, ohne Gewicht, ganz Licht, ganz leuchtendes Gesicht. Piktor machte große Augen.

Der neue Falter aber, der frohe bunte Vogelblumenschmetterling, das lichte Farbengesicht flog im Kreise um den erstaunten Piktor, glitzerte in der Sonne, ließ sich sanft wie eine Flocke zur Erde nieder, blieb dicht vor Piktors Füßen sitzen, atmete zart, zitterte ein wenig mit den glänzenden Flügeln, und war alsbald in einen farbigen Kristall verwandelt, aus dessen Kanten ein rotes Licht strahlte. Wunderbar leuchtete aus dem grünen Gras und Gekräute, hell wie Festgeläute, der rote Edelstein. Aber seine Heimat, das Innere der Erde, schien ihn zu rufen; schnell ward er kleiner und drohte zu versinken.

Da griff Piktor, von übermächtigem Verlangen getrieben, nach dem schwindenden Steine und nahm ihn an sich. Mit Entzücken blickte er in sein magisches Licht, das ihm Ahnung aller Seligkeit ins Herz zu strahlen schien.

Plötzlich am Ast eines abgestorbenen Baumes ringelte sich die Schlange und zischte ihm ins Ohr: »Der Stein verwandelt dich in was du willst. Schnell sage ihm deinen Wunsch, eh es zu spät ist!«

Piktor erschrak und fürchtete sein Glück zu versäumen. Rasch sagte er das Wort und verwandelte sich in einen Baum. Denn ein Baum zu sein hatte er schon manchmal gewünscht, weil die Bäume ihm so voll Ruhe, Kraft und Würde zu sein schienen.

Piktor wurde ein Baum. Er wuchs mit Wurzeln in die Erde ein, er reckte sich in die Höhe, Blätter trieben und Zweige aus seinen Gliedern. Er war damit sehr zufrieden. Er sog mit durstigen Fasern tief in der kühlen Erde, und wehte mit seinen Blättern hoch im Blauen. Käfer wohnten in seiner Rinde, zu seinen Füßen wohnten Hase und Igel, in seinen Zweigen die Vögel.

Der Baum Piktor war glücklich und zählte die Jahre nicht, welche vergingen. Sehr viele Jahre gingen hin, eh er merkte, daß sein Glück nicht vollkommen sei. Langsam nur lernte er mit den Baum-Augen sehen. Endlich war er sehend, und wurde traurig.

Er sah nämlich, daß rings um ihn her im Paradiese die meisten Wesen sich sehr häufig verwandelten, ja daß alles in einem Zauberstrome ewiger Verwandlung floß. Er sah Blumen zu Edelsteinen werden, oder als blitzende Schwirrvögel dahinfliegen. Er sah neben sich manchen Baum plötzlich verschwinden: der eine war zur Quelle zerronnen, der andre zum Krokodil geworden, ein andrer schwamm froh und kühl, voll Lustgefühl, mit muntern Sinnen als Fisch von hinnen, in neuen Formen neue Spiele zu beginnen. Elefanten tauschten ihr Kleid mit Felsen, Giraffen ihre Gestalt mit Blumen.

Er selbst aber, der Baum Piktor, blieb immer derselbe, er konnte sich nicht mehr verwandeln. Seit er dies erkannt hatte, schwand sein Glück dahin; er fing an zu altern und nahm immer mehr jene müde, ernste und bekümmerte Haltung an, die man bei vielen alten Bäumen beobachten kann. Auch bei Pferden, bei Vögeln, bei Menschen und allen Wesen kann man es ja täglich sehen: Wenn sie nicht die Gabe der Verwandlung besitzen, verfallen sie mit der Zeit in Traurigkeit und Verkümmerung, und ihre Schönheit geht verloren.

Eines Tages nun verlief sich ein junges Mädchen in jene Gegend des Paradieses, im blonden Haar, im blauen Kleid. Singend und tanzend lief die Blonde unter den Bäumen hin, und hatte bisher noch nie daran gedacht, sich die Gabe der Verwandlung zu wünschen.

Mancher kluge Affe lächelte hinter ihr her, mancher Strauch streifte sie zärtlich mit einer Ranke, mancher Baum warf ihr eine Blüte, eine Nuß, einen Apfel nach, ohne daß sie darauf achtete.

Als der Baum Piktor das Mädchen erblickte, ergriff ihn eine große Sehnsucht, ein Verlangen nach Glück, wie er es noch nie gefühlt hatte. Und zugleich nahm ein tiefes Nachsinnen ihn gefangen, denn ihm war, als riefe sein eigenes Blut ihm zu: »Besinne dich! Erinnere dich in dieser Stunde deines ganzen Lebens, finde den Sinn, sonst ist es zu spät, und es kann nie mehr ein Glück zu dir kommen.« Und er gehorchte. Er entsann sich all seiner Herkunft, seiner Menschenjahre, seines Zuges nach dem Paradiese, und ganz besonders jenes Augenblicks, ehe er ein Baum geworden war, jenes wunderbaren Augenblicks, da er den Zauberstein in Händen gehalten hatte. Damals, da jede Verwandlung ihm offen stand, hatte das Leben in ihm geglüht wie niemals! Er gedachte des Vogels, welcher damals gelacht hatte, und des Baumes mit der Sonne und dem Monde; es ergriff ihn die Ahnung, daß er damals etwas versäumt, etwas vergessen habe, und daß der Rat der Schlange nicht gut gewesen sei.

Das Mädchen hörte in den Blättern des Baumes Piktor ein Rauschen, es blickte zu ihm empor und empfand, mit plötzlichem Weh im Herzen, neue Gedanken, neues Verlangen, neue Träume sich im Innern regen. Von der unbekannten Kraft gezogen, setzte sie sich unter den Baum. Einsam schien er ihr zu sein, einsam und traurig, und dabei schön, rührend und edel in seiner stummen Traurigkeit; betörend klang ihr das Lied seiner leise rauschenden Krone. Sie lehnte sich an den rauhen Stamm, fühlte den Baum tief erschauern, fühlte denselben Schauer im eigenen Herzen. Seltsam weh tat ihr das Herz, über den Himmel ihrer Seele liefen Wolken hin, langsam sanken aus ihren Augen die schweren Tränen. Was war doch dies? Warum mußte man so leiden? Warum begehrte das Herz die Brust zu sprengen und hinüber zu schmelzen zu Ihm, in Ihn, den schönen Einsamen?

Der Baum zitterte leise bis in die Wurzeln, so heftig zog er alle Lebenskraft in sich zusammen, dem Mädchen entgegen, in dem glühenden Wunsch nach Vereinigung. Ach, daß er von der Schlange überlistet, sich für immer allein in einen Baum fest gebannt hatte! O wie blind, o wie töricht war er gewesen! Hatte er denn so gar nichts gewußt, war er dem Geheimnis des Lebens so fremd gewesen? Nein, wohl hatte er es damals dunkel gefühlt und geahnt — ach, und mit Trauer und tiefem Verstehen dachte er jetzt des Baumes, der aus Mann und Weib bestand!

Ein Vogel kam geflogen, ein Vogel rot und grün, ein Vogel schön und kühn kam geflogen, im Bogen kam er gezogen. Das Mädchen sah ihn fliegen, sah aus seinem Schnabel etwas niederfallen, das leuchtete rot wie Blut, rot wie Glut, es fiel ins grüne Kraut und leuchtete im grünen Kraut so tief vertraut, sein rotes Leuchten warb so laut, daß das Mädchen sich niederbückte und das Rote aufhob. Da war es ein Kristall, war ein Karfunkelstein, und wo der ist, kann es nicht dunkel sein.

Kaum hielt das Mädchen den Zauberstein in seiner weißen Hand, da ging alsbald der Wunsch in Erfüllung, von dem sein Herz so voll war. Die Schöne wurde entrückt, sie sank dahin und wurde eins mit dem Baume, trieb als ein starker junger Ast aus seinem Stamm, wuchs rasch zu ihm empor.

Nun war alles gut, die Welt war in Ordnung, nun erst war das Paradies gefunden. Piktor war kein alter bekümmerter Baum mehr, jetzt sang er laut Piktoria, Viktoria.

Er war verwandelt. Und weil er dieses Mal die richtige, die ewige Verwandlung erreicht hatte, weil er aus einem Halben ein Ganzes geworden war, konnte er sich von Stund an weiter verwandeln, so viel er wollte. Ständig floß der Zauberstrom des Werdens durch sein Blut, ewig hatte er Teil an der allstündlich erstehenden Schöpfung.

Er wurde Reh, er wurde Fisch, er wurde Mensch und Schlange, Wolke und Vogel. In jeder Gestalt aber war er ganz, war ein Paar, hatte Mond und Sonne, hatte Mann und Weib in sich, floß als Zwillingsfluß durch die Länder, stand als Doppelstern am Himmel.

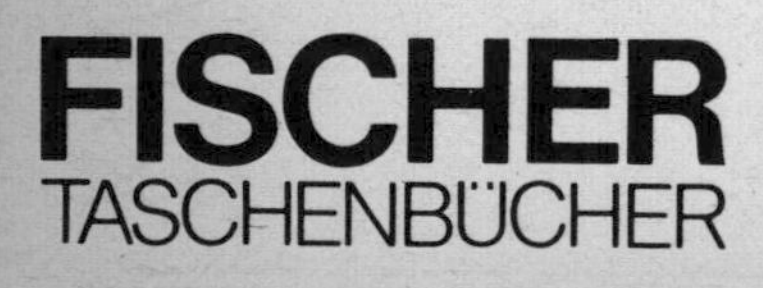

FISCHER
TASCHENBÜCHER

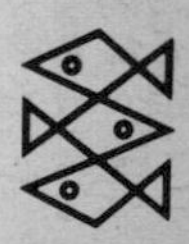

FISCHER
TASCHENBÜCHER

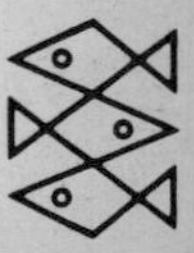

FISCHER
TASCHENBÜCHER

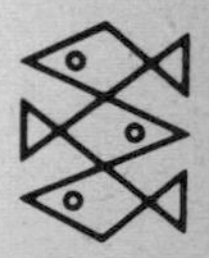